KT-528-656

ENGLISH SPANISH

Dictionary and Word Book

By Colin Clark
Illustrated by Vivienne Bray
and Judy Hensman
Translation by Daniela Izera

INGLÉS ESPAÑOL

Diccionario y Libro Temático

Brown Watson
ENGLAND

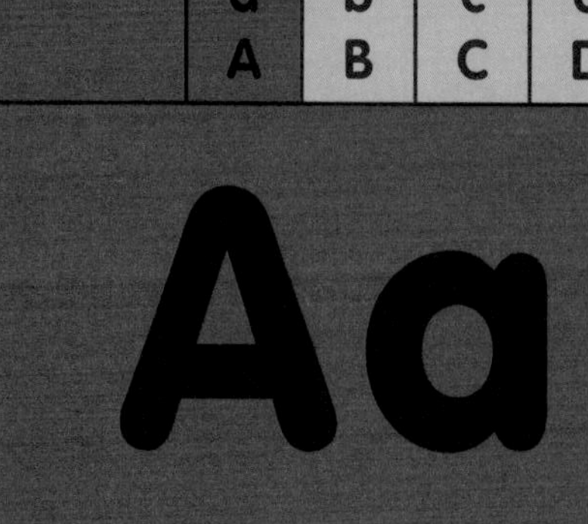

acrobat / *el acróbata*

An **acrobat** does jumping and balancing tricks.

*Un **acróbata** da saltos y hace piruetas y equilibrismo.*

actor / *el actor*

An **actor** pretends to be another person in a film or a play.

Un **actor** finge que es otra persona en el cine o en el teatro.

address / *la dirección*

The **address** on a letter says where you live.

*La **dirección** en un sobre indica donde tú vives.*

aircraft / *el avión*

An **aircraft** is a machine that flies in the sky.

*Un **avión** es una máquina que vuela en el cielo.*

airport / *el aeropuerto*

You can see lots of aircraft landing and taking off at an **airport**.

*En un **aeropuerto** tú puedes ver muchos aviones aterrizando y despegando.*

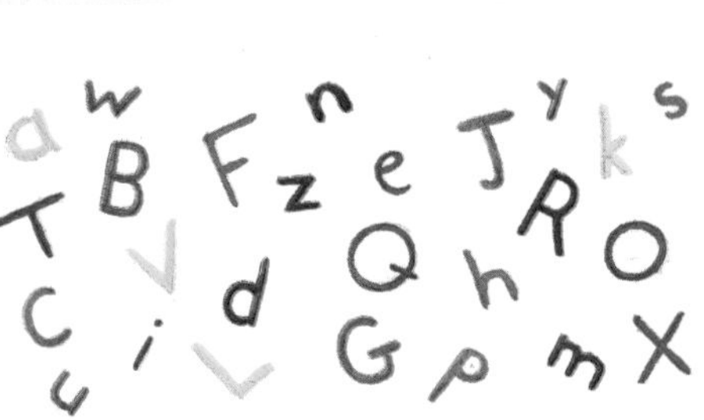

alphabet / *el abecedario*

All the words that we speak or write a made up of the letters of the **alphab**

Todas las palabras que decimos y escribimos se componen de las letras del ***abecedario****.*

ambulance / *la ambulancia*

An **ambulance** takes sick people to hospital.

Una ***ambulancia*** *lleva a la gente enferma a un hospital.*

animal / *el animal*

Any living thing that can move about and feel is called an **animal**.

Cualquier ser vivo que se puede mover y que siente se llama ***animal****.*

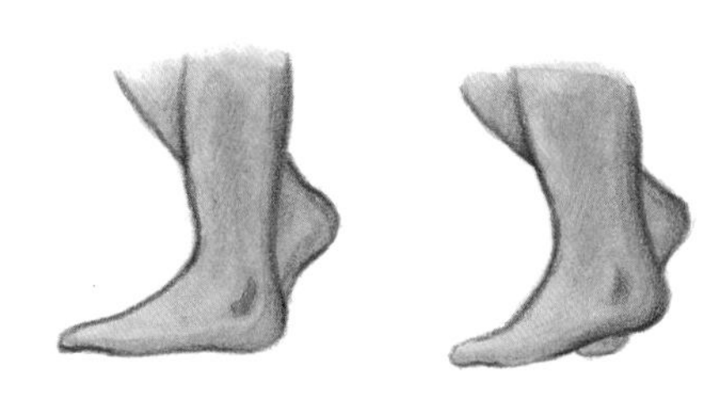

ankle / *el tobillo*

The **ankle** joins the leg to the foot.

*El **tobillo** une la pierna con el pie.*

apple / *la manzana*

An **apple** is a fruit. **Apples** are good to eat.

*Una **manzana** es una fruta. Las **manzanas** son saludables.*

apron / *el delantal*

When someone is cooking, they wear an ***apron*** to keep clothes clean.

*Cuando alguien está cocinando, se pone un **delantal** para mantener su ropa limpia.*

arm / *el brazo*

Your **arm** is between your shoulder and your hand.

*Tu **brazo** está entre tu hombro y tu mano.*

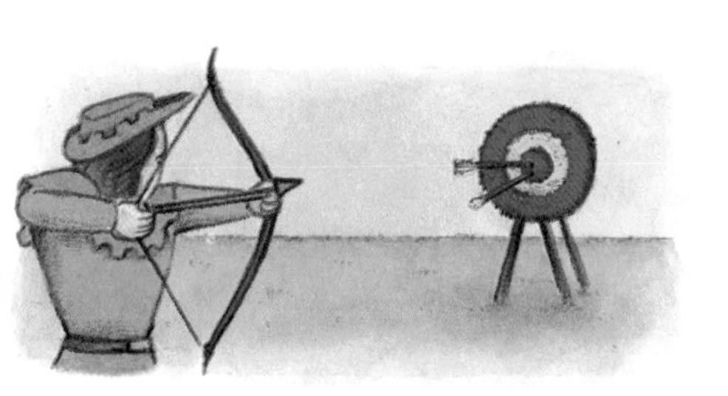

arrow / *la flecha*

An **arrow** is fired through the air from a bow.

*La **flecha** se lanza al aire con un arco.*

artist / *el artista*

The person painting the picture is called an **artist**.

*La persona que pinta cuadros se llama **artista**.*

astronaut / *el astronauta*

An **astronaut** is someone who travels out into space.

*Un **astronauta** es alguien que viaja por el espacio.*

axe / *el hacha*

An **axe** is a sharp tool for cutting wood. Jack cut down the beanstalk with an **axe**.

*Un **hacha** es una herramienta afilada utilizada para cortar leña. Jack taló el tallo de la habichuela mágica con un **hacha**.*

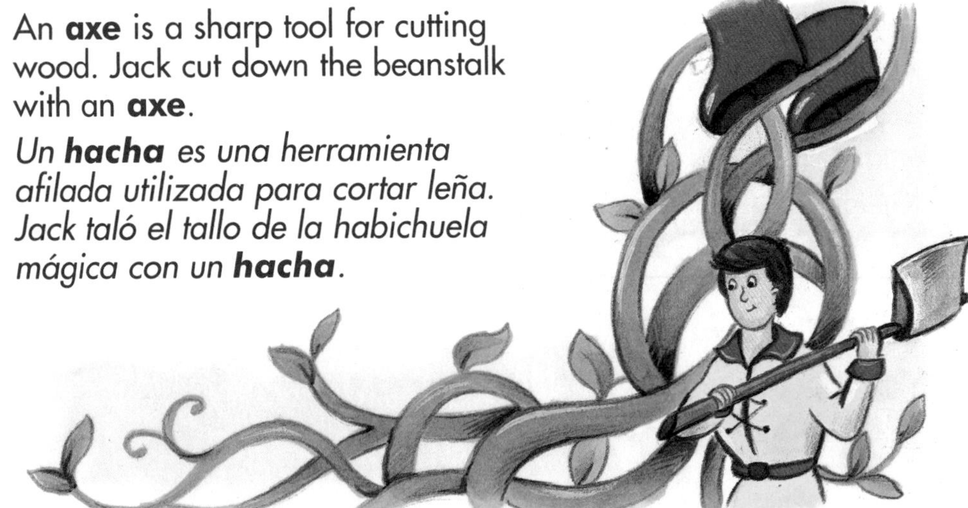

Bb

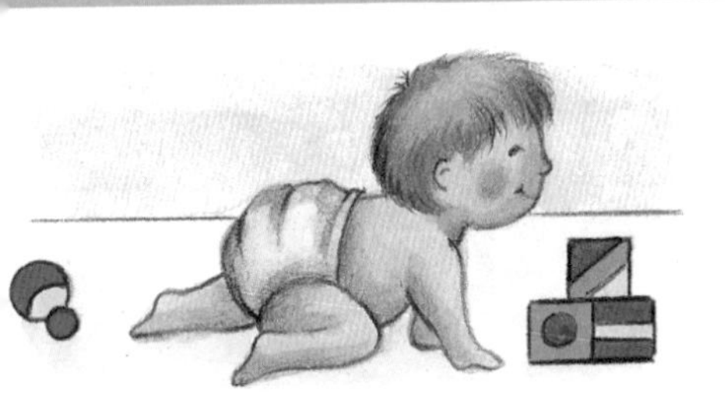

baby / *el bebé*
A **baby** is a very young child.
*Un **bebé** es un niño muy pequeño.*

back / *la espalda*
The children are standing **back** to **back**.
*Los niños se tocan con sus **espaldas**.*

badge / *la chapa*
The boy has a **badge** on his jumper.
*El niño lleva una **chapa** en su jersey.*

bag / *la bolsa*
You can carry lots of things in a **bag**.
*Tú puedes cargar muchas cosas en una **bolsa**.*

ball / *la pelota*

Some games are played with a **ball**.

*Algunos juegos usan una **pelota**.*

balloon / *el globo*

We blow a **balloon** full of air at parties.

*En las fiestas nosotros llenamos un **globo** con aire.*

banana / *el plátano*

A **banana** is a fruit. We peel off the yellow skin before we eat a **banana**.

*El **plátano** es una fruta. Primero quitamos la concha amarilla antes de poder comernos el **plátano**.*

band / *la banda*

A **band** is a group of people who make music together.

*Una **banda** es un grupo de personas que unidos tocan instrumentos musicales.*

barn / *el establo*

Farmers keep their cows and hay in a **barn**.

*Los granjeros guardan sus vacas y su heno en un **establo**.*

basket / *la cesta*

The man has a large **basket** of flowers.

*El hombre tiene una **cesta** grande con flores.*

bat / *el murciélago*

This flying animal is a **bat**.

*Este animal que vuela se llama **murciélago**.*

bat / *el bate*

In some games, we hit a ball with a **bat**.

*Durante algunos juegos golpeamos la pelota con un **bate**.*

bath / *la bañera*

We wash ourselves all over in the **bath**.

Nosotros nos lavamos de arriba abajo en una ***bañera****.*

beach / *la playa*

The sandy part beside the sea is called the **beach**.

La zona arenosa al lado del mar se llama ***playa****.*

bear / *el oso*

A **bear** is a large, wild animal.

Un ***oso*** *es un animal grande y salvaje.*

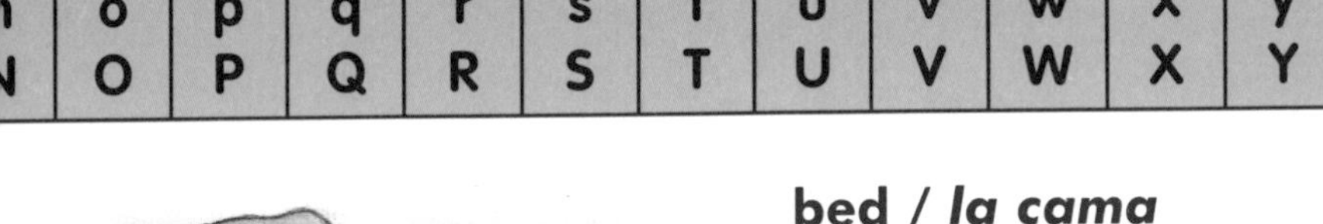

bed / *la cama*

We lie down in a **bed** when we want to sleep.

Nosotros nos acostamos en una ***cama*** *cuando querremos dormir.*

bee / *la abeja*

A **bee** is an insect which lives in a hive and makes honey.

Una ***abeja*** *es un insecto que vive en una colmena y produce miel.*

bell / *la campana*

A **bell** rings when it is time to go to school.

La ***campana*** *suena cuando tenemos que ir a la escuela.*

berry / *la baya*

A **berry** is a juicy fruit.

Una ***baya*** *es una fruta jugosa.*

bicycle / *la bicicleta*

We can ride a **bicycle**. A **bicycle** has two wheels.

Nosotros sabemos andar en una ***bicicleta****. Una* ***bicicleta*** *tiene dos ruedas.*

bird / *el pájaro / el ave*

A **bird** is an animal with wings and feathers. Most **birds** can fly. Here are some **birds**.

*Un **pájaro** es un animal con alas y plumas. La mayoría de los **pájaros** pueden volar. Acá se ven algunos **pájaros** o **aves**.*

black / *negro*

Black is a very dark colour. The hat is **black**.

*El **negro** es un color muy oscuro. El sombrero es **negro**.*

blue / *azul*

Blue is a colour. The sky and the balloons are **blue**.

*El **azul** es un color. El cielo y los globos son **azules**.*

boat / *la barca / el barco*

You travel over water in a **boat**. The children are in a rowing **boat**.

Tú puedes viajar sobre el agua en ***barco****. Los niños reman la* ***barca****.*

book / *el libro*

This girl is reading a **book**. This dictionary is a **book**.

Esta niña está leyendo un ***libro****.*
Este diccionario es un ***libro****.*

boot / *la bota*

A **boot** covers the foot and part of the leg.

Una ***bota*** *cubre el pie y una parte de la pierna.*

bottle / *la botella*

A **bottle** holds something wet, like water or milk.

Una ***botella*** *contiene sustancias líquidas, como por ejemplo agua y leche.*

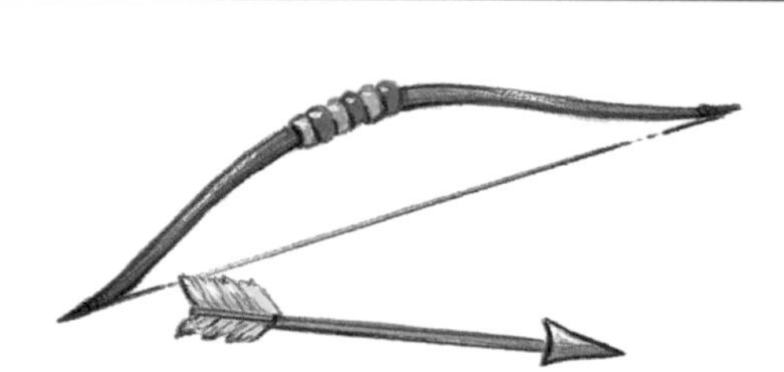

bow / *el arco*

We use a **bow** for shooting arrows.

*Nosotros usamos un **arco** para disparar flechas.*

boy / *el niño*

A male child is a **boy**.

*Una persona varón de pocos años es un **niño**.*

bridge / *el puente*

We use a **bridge** to cross over a road or a river.

*Nosotros usamos un **puente** para cruzar una carretera o un río.*

brown / *marrón*

Brown is a colour. The coat and the Teddy are **brown**.

El ***marrón*** es un color. El abrigo y el osito de peluche son ***marrones***.

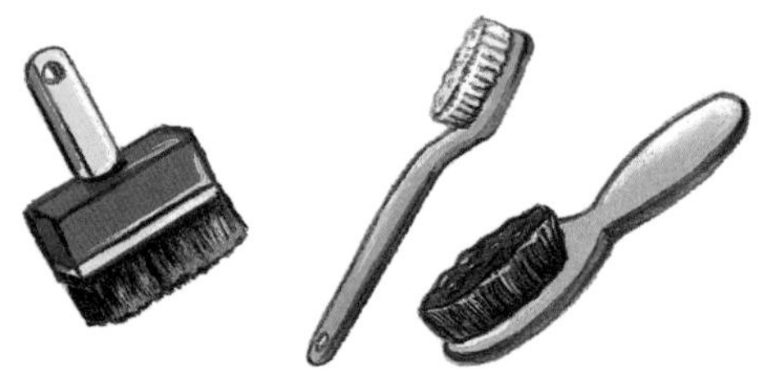

brush / *la brocha / el cepillo*

We use a **brush** for painting or cleaning. We **brush** our hair.

*Nosotros usamos una **brocha** para pintar y un **cepillo** para limpiar o peinarnos.*

bulldozer / *la excavadora*

A **bulldozer** can move piles of earth or rubble.

*Una **excavadora** mueve grandes cantidades de tierra o escombros.*

bus / *el autobús*

A **bus** can carry people along the road.

Un ***autobús*** transporta personas por la carretera.

butterfly / *la mariposa.*

A **butterfly** is an insect with four large wings.

*Una **mariposa** es un insecto con cuatro alas grandes.*

Cc

cage / *la jaula*
We keep pet birds or mice in a **cage**.
*Nosotros podemos guardar mascotas como pájaros o ratones en una **jaula**.*

cake / *el pastel*
A **cake** is sweet and baked in the oven.
*El **pastel** es dulce y se hornea.*

camel / *el camello*
A **camel** is an animal with one or two humps which lives in the desert.
*Un **camello** es un animal con una o dos jorobas y vive en el desierto.*

candle / *la vela*
A **candle** gives us light.
*Una **vela** nos da luz.*

car / *el coche*
We travel by **car** along the road.
Viajamos en un ***coche*** *por la carretera.*

castle / *el castillo*
A **castle** is an old building with thick walls and towers.
Un ***castillo*** *es un edificio viejo con paredes gruesas y torres.*

cat / *el gato*
A **cat** is a furry animal. We keep **cats** as pets.
Un ***gato*** *es un animal peludo. Los* ***gatos*** *son mascotas.*

caterpillar / *la oruga*
A **caterpillar** has lots of legs and changes into a moth or a butterfly.
Una ***oruga*** *tiene muchas patas y cambia en una mariposa diurna o nocturna.*

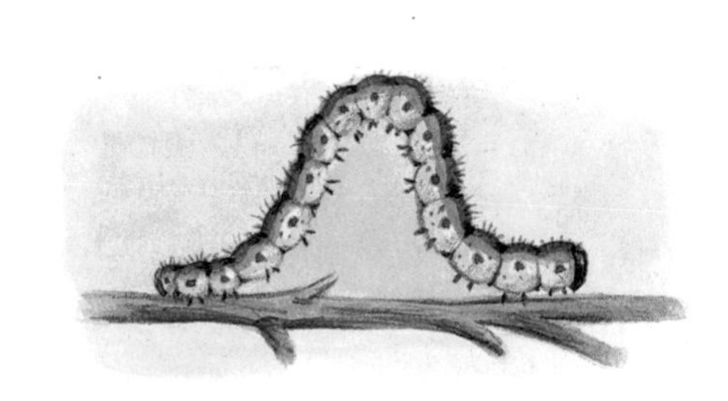

cherry / *la cereza*

A **cherry** is a small, round, tasty fruit. **Cherries** are good to eat.

*Una **cereza** es una fruta pequeña, redonda y sabrosa. Las **cerezas** son saludables.*

chicken / *el pollo*

A **chicken** is a bird. These baby **chickens** are called chicks.

*Un **pollo** es un ave. Estos **pollos** bebé se llaman pollitos.*

chimney / *la chimenea*

The smoke from the fire goes up the **chimney**.

*El humo del fuego sube por la **chimenea**.*

Christmas / *Navidad*

December 25th is **Christmas**, the birthday of Jesus. We give presents at **Christmas**.

*El 25 de diciembre es **Navidad**, el día del nacimiento de Jesús. Nosotros nos damos regalos en **Navidad**.*

clock / *el reloj*

A **clock** shows us the time.

*El **reloj** nos da la hora.*

clothes / *la ropa*

All the things we wear are called **clothes**.

*Todo lo que nos ponemos se llama **ropa**.*

cot / *la cuna*

A **baby** sleeps in a little bed called a cot.

*Un bebé duerme en una camita que se llama **cuna**.*

cow / *la vaca*

A **cow** is an animal that gives us milk.

*La **vaca** es un animal que nos da leche.*

crab / *el cangrejo*

A **crab** lives in the sea. **Crabs** can nip you with their claws.

Un ***cangrejo*** *vive en el mar. Los* ***cangrejos*** *nos pueden pelliscar con sus pinzas.*

crane / la grúa

A **crane** is a machine which lifts large, heavy things.

La ***grúa*** *es una máquina que levanta cosas grandes y pesadas.*

crayon / *el lápiz de colores*

We can use a **crayon** to colour a drawing.

Nosotros podemos usar un ***lápiz de colores*** *para colorear un dibujo.*

cup / *la taza*

We drink something out of a **cup**.

Nosotros bebemos algo de una ***taza****.*

D d

dancer / *el bailarín*

A **dancer** moves about in time to music.

*El **bailarín** se mueve al ritmo de la música.*

deer / *el ciervo*

Deer are shy, wild animals.

*Los **ciervos** son animales tímidos y salvajes.*

dentist / *el dentista*

A **dentist** is someone who helps us to keep our teeth shining and healthy.

*Un **dentista** es alguien que nos ayuda mantener nuestros dientes brillantes y sanos.*

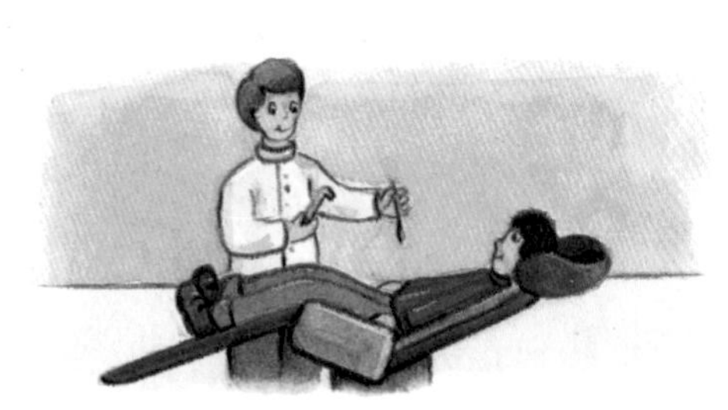

desk / *el escritorio*

We can sit at a **desk** when we want to read and write.

Nosotros nos podemos sentar en un ***escritorio*** *para leer y escribir.*

dice / *el dado*

We use a **dice** to play some games. A **dice** has six sides.

Nosotros usamos un ***dado*** *en algunos juegos. Un* ***dado*** *tiene seis caras.*

dinosaur / *el dinosaurio*

A **dinosaur** is an animal that lived a long, long time ago. Some **dinosaurs** were big and fierce.

Un ***dinosaurio*** *es un animal que vivió hace mucho, mucho tiempo. Algunos* ***dinosaurios*** *eran grandes y feroces.*

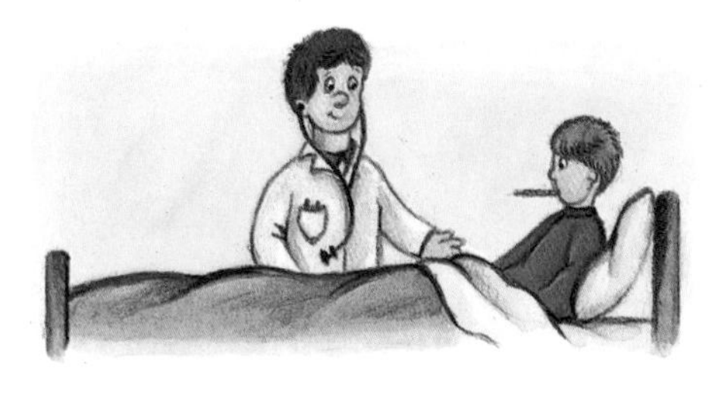

doctor / *el médico*

When we are sick, a **doctor** will take care of us.

Cuando estamos enfermos, nos cuida un ***médico****.*

dog / *el perro*

A **dog** is a friend. Some **dogs** are big, and some are small.

Un ***perro*** *es un amigo. Algunos* ***perros*** *son grandes, otros son pequeños.*

doll / *la muñeca*

A **doll** is a toy that looks like a person.

Una ***muñeca*** *es un juguete que se parece a una persona.*

donkey / *el burro*

A **donkey** is an animal with long ears. **Donkeys** say: "Hee-Haw".

Un ***burro*** *es un animal con orejas largas. Los* ***burros*** *rebuznan.*

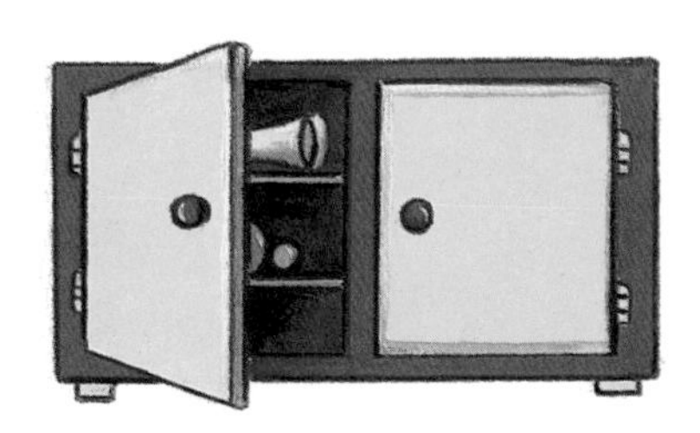

door / *la puerta*

A room or a cupboard has a **door**. We can open and close a **door**.

Una habitación o un armario tiene una ***puerta****, se puede abrir o cerrar la* ***puerta****.*

dragon / *el dragón*

In fairy tales, a **dragon** is a fire-breathing animal with wings.

*En los cuentos de hadas un **dragón** es un animal con alas que escupe fuego.*

dress / *el vestido*

A girl or a woman will wear a **dress**.

*Una niña o una mujer se ponen un **vestido**.*

drum / *el tambor*

We can make music with a **drum** by hitting it with drumsticks.

*Nosotros podemos producir música con un **tambor** golpeandolo con dos polillos.*

duck / *el pato*

A **duck** is a bird that can swim and f

*Un **pato** es un ave que nada y vuela.*

Ee

eagle / el águila

An **eagle** is a big bird with strong claws.

Un ***águila*** *es un ave grande con garras muy fuertes.*

ear / *la oreja / el oído*

On each side of our head, we have an **ear**. We hear with our **ears**.

A cada lado de la cabeza tenemos una ***oreja****, con estas* ***oímos****.*

eggs / *los huevos*

Birds and some other animals lay **eggs**. We can eat some **eggs**.

Los pájaros y algunos otros animales ponen ***huevos****. Algunos* ***huevos*** *se pueden comer.*

elbow / *el codo*

Our arms bend at the **elbow**.

Nuestros brazos se doblan en la mitad, por el ***codo****.*

elephant / *el elefante*

An **elephant** is a large, grey animal with big ears, and a very long nose, called a trunk.

*Un **elefante** es un animal grande y gris con orejas grandes y una nariz muy larga que se llama trompa.*

empty / *vacío (a)*

The box is **empty**. There is nothing in the box.

*La caja está **vacía**. No hay nada en la caja.*

end / *el cabo*

The **end** is the last of something. Each dog has an **end** of the rope.

*El **cabo** es el final de algo. Cada perro tiene un **cabo** de la cuerda.*

envelope / *el sobre*

When we have written a letter, we put it into an **envelope** before we post it.

*Cuando hemos escrito una carta, luego la ponemos en un **sobre** para mandarla.*

Eskimo / *el esquimal*

An **Esquimo** lives in a very cold part of the world. **Eskimos** have to wear warm, furry clothes.

*Un **esquimal** vive en las partes más frías del mundo. Los **esquimales** tienen que llevar ropa caliente y forrada de piel.*

exercises / *los ejercicios*

The children are doing **exercises**. **Exercises** are special movements to keep our bodies fit.

*Los niños hacen **ejercicios**. Los **ejercicios** son movimientos especiales utilizados para mantener nuestros cuerpos en forma.*

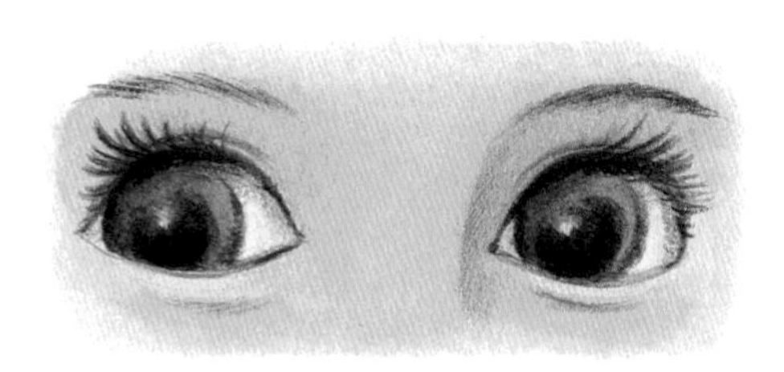

eye / *el ojo*

The **eye** is the part of our body through which we see. We have two **eyes**.

*El **ojo** es la parte del cuerpo con la que vemos. Nosotros tenemos dos **ojos**.*

Ff

face / *la cara*

The **face** is on the front of the head.

*La **cara** está en la parte delantera de la cabeza.*

fair / *la feria*

We can have lots of fun at a **fair**.

*En una **feria** nos divertimos mucho.*

farm / *la granja*

On a **farm**, food is grown and farm animals are kept.

*En una **granja** se produce comida y se crian animales domésticos.*

feather / *la pluma*

A **feather** is very light. **Feathers** grow on birds.

*Una **pluma** es muy ligera. Los pájaros tienen **plumas**.*

fence / *la valla*

You put a **fence** of wood or wire round your garden.

*Tú pones una **valla** de madera o de alambre alrededor de tu jardín.*

finger / *el dedo*

A **finger** is a part of the hand. We have eight **fingers** and two thumbs

*Un **dedo** es una parte de la mano. Nosotros tenemos diez **dedos**.*

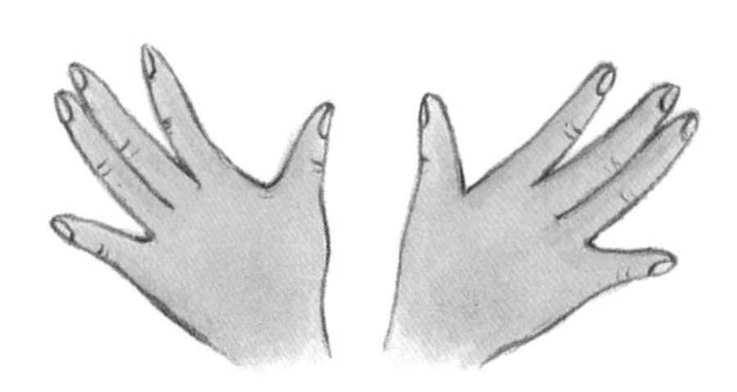

fire / *el fuego*

When something is burning, there is a **fire**. A **fire** is very hot.

*Hay un **fuego** cuando algo se quema. Un **fuego** es muy caliente.*

fish / *el pez*

A **fish** is an animal that lives in the water.

*Un **pez** es un animal que vive en el agua.*

flag / *la bandera*

A **flag** is a coloured piece of cloth or paper. This is the pirates' **flag**.

Una ***bandera*** *es un pedazo de papel o de tela de colores. Esta es una* ***bandera*** *pirata.*

flowers / *las flores*

Flowers are pretty and they smell nice. A **flower** is the part of a plant with seeds in it.

Las ***flores*** *son hermosas y huelen bien. Una* ***flor*** *es la parte de una planta que contiene las semillas.*

food / *la comida*

Food is what we eat. Everything needs **food** to stay alive.

La ***comida*** *es lo que comemos nosotros. Todo ser vivo necesita* ***comida*** *para sobrevivir.*

foot / *el pie*

At the end of each leg, we have a **foot**. We stand on our **feet**.

*Al final de cada pierna tenemos un **pie**. Nosotros estamos de **pie**.*

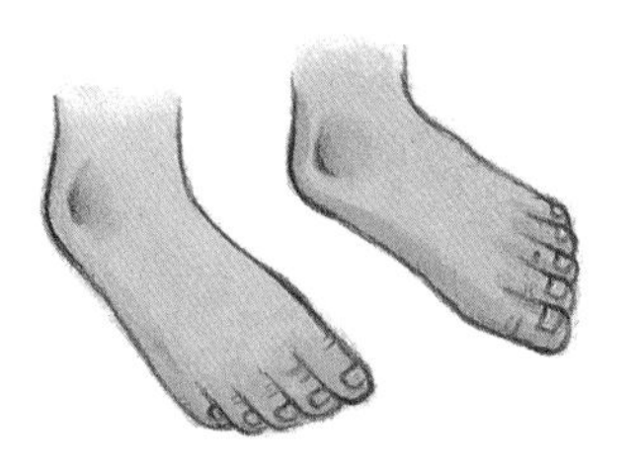

forest / *el bosque*

There are lots of trees in a **forest**.

*En un **bosque** hay muchísimos árboles.*

fountain / *la fuente*

A **fountain** shoots water up into the air.

*Una **fuente** lanza agua al aire.*

fox / *el zorro*

A **fox** is a kind of wild dog, with a bushy tail.

*Un **zorro** es un tipo de perro salvaje con una cola muy tupida.*

frog / *la rana*

A **frog** is a small animal that lives near water. **Frogs** jump and have webbed feet.

*Una **rana** es un animal pequeño que vive cerca del agua. Las **ranas** saltan y tienen patas palmeadas.*

fruit / *la fruta*

Some plants have **fruit**. We eat **fruit**, like oranges, bananas and strawberries.

Algunas plantas producen ***frutas****. Nosotros comemos* ***frutas****, como por ejemplo: naranjas, plátanos y fresas.*

full / *lleno (a)*

When you cannot get any more into something, it is **full**.

Algo está ***lleno*** *cuando no cabe nada más.*

funny / *divertido*

The clown makes the children laugh. They think the clown is **funny**.

El payaso hace reír a los niños. Piensan que el payaso es muy ***divertido****.*

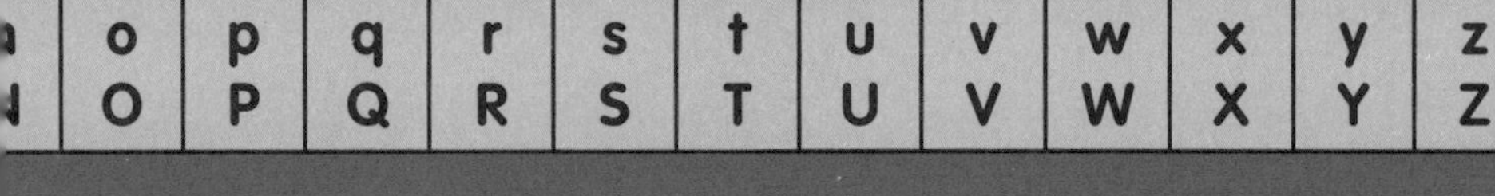

garage / *el garaje*

The car is in the **garage**.

*El coche está en el **garaje**.*

garden / *el jardín*

We grow grass and flowers in a **garden**. We can play in the **garden**.

*Hay hierba y flores en un **jardín**. Nosotros jugamos en el **jardín**.*

gate / *la cancela*

A **gate** is like a door in a fence.

*La **cancela** es una puerta en una valla.*

giant / *el gigante*

A **giant** is a very big person in a fairy tail.

*Un **gigante** es una persona muy grande en un cuento de hadas.*

giraffe / *la girafa*

A **giraffe** is a wild animal with long legs and a very long neck.

*Una **girafa** es un animal salvaje con patas largas y un cuello muy largo.*

girl / *la niña*

A female child is a **girl**.

Una persona femenina de pocos años es una ***niña***.

gloves / *los guantes*

We wear **gloves** to keep our hands warm.

Nosotros llevamos ***guantes*** para mantener las manos calientes.

goat / *la cabra*

A **goat** is like a large sheep with horns and a beard.

*La **cabra** es como una oveja grande con cuernos y una chiva.*

goldfish / *el pez de colores*

We keep **goldfish** as pets in a tank.

*En un tanque mantenemos a los **peces de colores** como mascotas.*

grass / *la hierba*

Grass is green, and grows almost everywhere. We have to cut the **grass** in the garden.

*La **hierba** es verde y crece casi en cualquier lugar. Nosotros tenemos que cortar la **hierba** en los jardines.*

green / *verde*

Green is a colour. The jumper is **green**. So is the scarf.

*El **verde** es un color. El jersey es **verde**, la bufanda también.*

grey / *gris*

Grey is a colour. Clouds are **grey** when it is raining.

*El **gris** es un color. Las nubes se ponen **grises** cuando llueve.*

H h

hammer / *el martillo*

A **hammer** is a tool for banging in nails.

*Un **martillo** es una herramienta para clavar clavos.*

hamster / *el hámster*

A **hamster** is a small, furry animal. **Hamsters** keep food in their cheeks.

*Un **hámster** es un animal pequeño y peludo. Los **hámsteres** guardan la comida en sus mejillas.*

hand / *la mano*

We have a **hand** at the end of each arm. Our **hands** are for holding and touching things.

*Nosotros tenemos una **mano** al final de cada brazo. Las **manos** son para cogernos y para tocar cosas.*

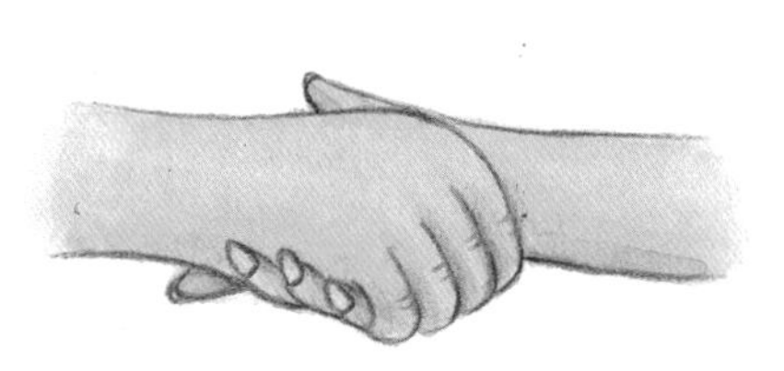

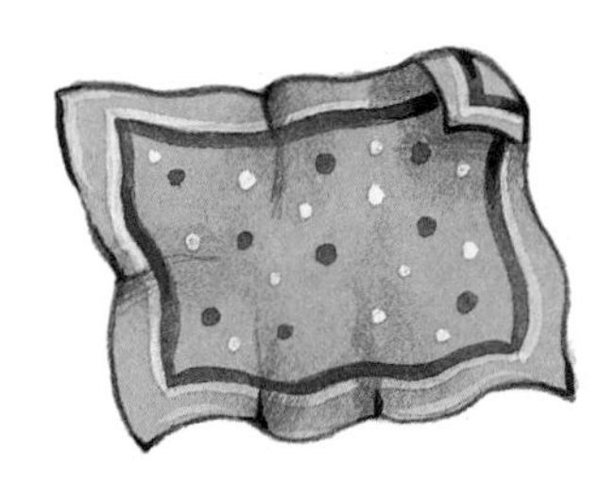

handkerchief / *el pañuelo*

We use a **handkerchief** to wipe our nose when we have a cold.

*Nosotros usamos un **pañuelo** para sonarnos la nariz cuando tenemos un resfriado.*

harp / *el arpa*

We pluck the strings on a **harp** to make music.

*Nosotros tocamos las cuerdas del **arpa** para producir música.*

hat / *el sombrero*

We wear a **hat** on our heads. This is a man's **hat**.

*Nosotros llevamos un **sombrero** en la cabeza. Este **sombrero** es de hombre.*

hay / *el heno*

Hay is dried grass and is used for feeding cows and sheep.

*El **heno** es hierba seca y se usa para alimentar las vacas y las ovejas.*

head / *la cabeza*

Our **head** is on our shoulders. The face is the front of the **head**.

*La **cabeza** está sobre nuestros hombros. La cara está en la parte delantera de la **cabeza**.*

hedge / *el seto*

A **hedge** is a row af bushes which makes a fence round a field.

*Un **seto** es una hilera de arbustos que forman una valla alrededor de un campo.*

heel / *el talón*

The **heel** is the back part of the foot.

*El **talón** es la parte posterior del pie.*

helicopter / *el helicóptero*

A **helicopter** is an aircraft without wings which can fly straight up into the air.

*Un **helicóptero** es un avión sin alas que puede volar en vertical.*

helmet / *el casco*

A **helmet** is a strong cover for the head. We wear a **helmet** to keep our head safe.

*Un **casco** es un protección fuerte de la cabeza. Nosotros utilizamos un **casco** para proteger nuestra cabeza.*

hen / *la gallina*

A female bird is called a **hen**. We can eat the eggs of farmyard **hens**

*Un ave hembra se llama **gallina**. Nosotros podemos comer los huevos de **gallinas** de granjas.*

hill / *la colina*

A **hill** is higher than the land around it. **Hills** are not as high as mountains.

*Una **colina** se alza sobre la tierra a su alrededor. Las **colinas** no son tan altas como las montañas.*

hook / *el gancho*

We can hang a coat on a **hook**.

Nosotros colgamos un abrigo en un ***gancho.***

horn / *el cuerno*

Horns are pointed bits on the heads of deer. A rhino has a **horn** on its nose.

Los ***cuernos*** *son las partes puntiagudas sobre la cabeza de los ciervos. El rinoceronte tiene un* ***cuerno*** *sobre su nariz.*

horse / *el caballo*

A **horse** is an animal which is used for riding, or for pulling carts.

Un ***caballo*** *es un animal que se usa para montar o para tirar de los carros.*

hospital / *el hospital*

When we are very sick, we have to go to **hospital**.

Cuando estamos muy enfermos tenemos que ir al ***hospital****.*

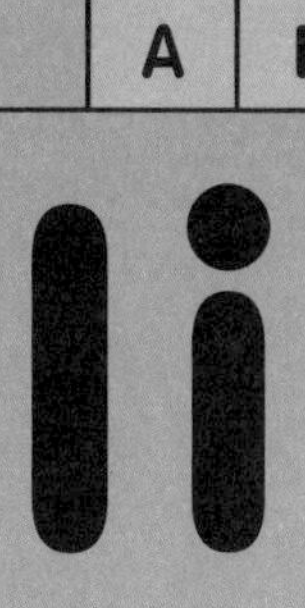

iceberg / *el iceberg*

A very large block of ice which floats in the sea is an **iceberg**.

Un pedazo de hielo muy grande que flota en el mar se llama un ***iceberg****.*

ice cream / *el helado*

Ice cream is cold and sweet. Eatin **ice cream** is great.

El ***helado*** es frío y dulce. Comer ***helados*** es fantástico.

icicles / *los carámbanos*

Icicles are pointed spikes of frozen water.

Los ***carámbanos*** *son trozos puntiagudos de agua congelada.*

icing / *el glaceado*

Icing is the sweet topping put on birthday cakes.

El ***glaceado*** *es dulce y se usa par cubrir los pasteles de cumpleaños.*

igloo / *el iglú*

Eskimos live in houses called **igloos**, made from frozen snow.

*Los esquimales viven en casas llamadas **iglú** y estan hechas de nieve congelada.*

insects / *los insectos*

Insects are small animals with six legs. Some **insects** are small, some are big.

*Los **insectos** son animales pequeños de seis patas. Algunos **insectos** son pequeños, otros grandes.*

iron / *la plancha*

We press clothes with an **iron**.

*Nosotros planchamos ropa con una **plancha**.*

island / *la isla*

An **island** is a piece of land with water all round it.

*Una **isla** es una porción de tierra rodeada de agua por todas partes.*

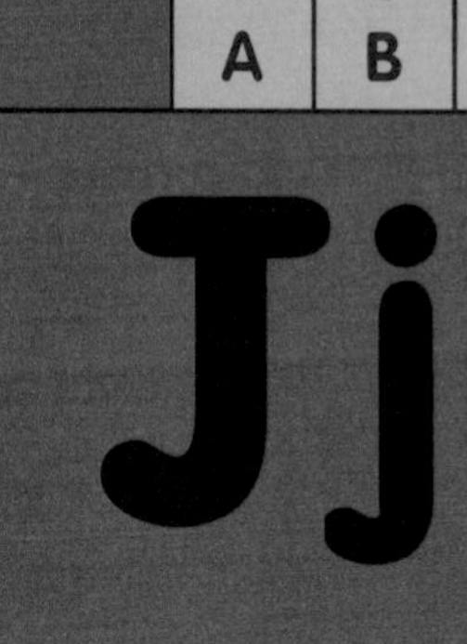

jack-in-the-box / *la caja sorpresa*

When you open the lid of a **jack-in-the-box**, a funny toy jumps out.

*Cuando abres la tapa de la **caja sorpresa** un juguete salta fuera.*

jar / *el tarro*

We keep sweets in a **jar**.

*Las chucherías se pueden guardar en un **tarro**.*

jeans / *los vaqueros*

Jeans are trousers made from strong blue cloth.

*Los pantalones **vaqueros** son hechos de una tela azul fuerte.*

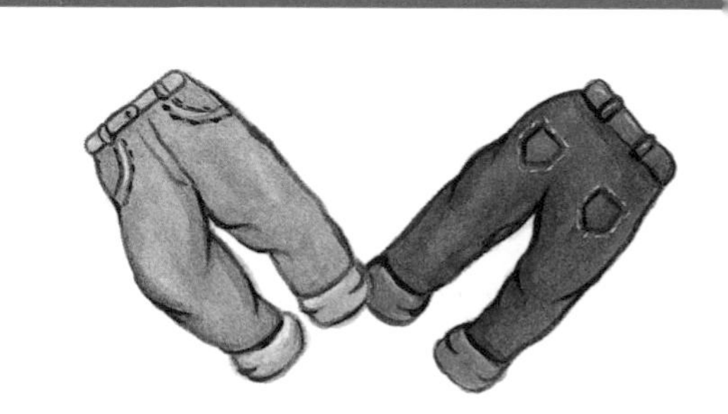

jelly / *la gelatina*

Jelly is a cold, clear, sweet pudding.

*La **gelatina** es un dulce frío, claro y dulce.*

jellyfish / *la medusa*

A **jellyfish** lives in the sea. **Jellyfish** look as if are made of jelly.

*Una **medusa** vive en el mar. Las **medusas** parecen hechas de gelatina.*

jigsaw / *el rompecabezas*

We have to fit together the pieces of a **jigsaw** puzzle.

*Hay que unir las piezas del **rompecabezas**.*

juggler / *el malabarista*

A **juggler** throws and catches lots of things all at once.

*Un **malabarista** tira y coge muchas cosas a la vez.*

jumper / *el jersey*

A knitted pullover with long sleeves is a ***jumper***.

*Un suéter tejido con mangas largas se llama **jersey**.*

Kk

kangaroo / *el canguro*

A **kangaroo** is an Australian animal which carries its baby in a pouch.

*Un **canguro** es un animal australiano que lleva su cría en su bolsa.*

key / *la llave*

You open a lock with a **key**.

*Tú abres una cerradura con una **llave**.*

king / *el rey*

A **king** is the head of a country.

*Un **rey** es la cabeza del Estado.*

kiss / *el beso*

The girl is giving the baby a **kiss**.

La niña le da un ***beso*** al bebé.

kite / *la cometa*

The boy is flying a **kite**. He must hold on to the string of his **kite**.

*El niño vuela la **cometa**. El tiene que sujetar el hilo de la **cometa**.*

kitten / *el gatito*

A **kitten** is a young cat.

*El **gatito** es un gato joven.*

knee / *la rodilla*

Your leg bends in the middle of the **knee**.

*Nuestra pierna se dobla en el centro, por la **rodilla**.*

knife / *el cuchillo*

We cut things with a **knife**.

*Nosotros cortamos cosas con un **cuchillo**.*

Ll

ladder / *la escalera*

You climb a **ladder** to get up to high things.

*Tú subes una **escalera** para alcanzar las cosas a lo alto.*

ladybird / *la mariquita*

A **ladybird** is a red or yellow insect with spots on its back.

*Una **mariquita** es un insecto rojo o amarillo con puntos en su espalda.*

lake / *el lago*

A **lake** is a lot of water with land all round it.

*Un **lago** es una gran cantidad de agua rodeada de tierra por todas partes.*

lamb / *el cordero*

A **lamb** is a young sheep.

*Un **cordero** es una oveja joven.*

lamp / *la lámpara*

A **lamp** gives us light. When it gets dark, we switch on the **lamp**.

*Una **lámpara** nos da luz. Cuando se oscurece encendemos una **lámpara**.*

leaf / *la hoja*

A **leaf** will grow on a tree or a plant.

*Una **hoja** crece sobre un árbol o una planta.*

leap-frog / *la pídola*

It is fun to play **leap-frog**. In **leap-frog**, you leap over your friends' backs.

*Es divertido jugar a la **pídola**. En la **pídola** saltas por encima de la espalda de tus amigos.*

leg / *la pierna*

We have two **legs**. The boy is waving one **leg** in the air.

*Nosotros tenemos dos **piernas**. El niño mueve una **pierna** en el aire.*

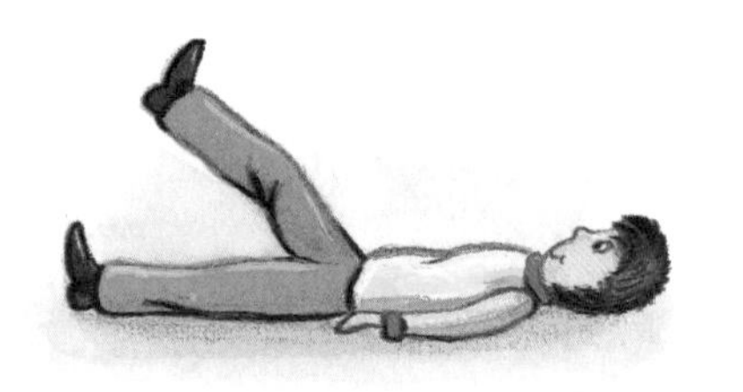

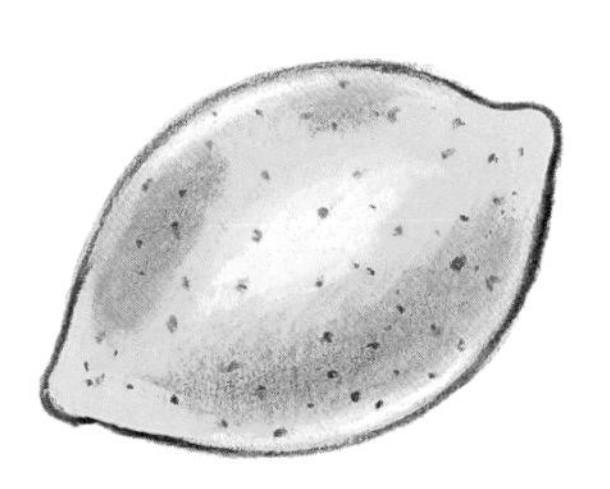

lemon / *el limón*

A **lemon** is a yellow fruit with a sour taste.

*Un **limón** es una fruta con un sabor ácido.*

leopard / *el leopardo*

A **leopard** is a large, wild animal with a spotted coat.

*Un **leopardo** es un animal grande y salvaje con manchas en todo el cuerpo.*

letter / *la carta*

When we write a **letter**, we are sending a message to someone.

*Cuando escribimos una **carta**, nosotros le mandamos un mensaje a alguien.*

library / *la biblioteca*

A **library** is a room or a building where books are kept.

*Una **biblioteca** es una habitación o un edificio donde se guardan los libros.*

lighthouse / *el faro*

A **lighthouse** is a tall building with a light on top to warn ships of danger.

*El **faro** es un edificio alto con una luz en su parte superior que avisa a los barcos del peligro.*

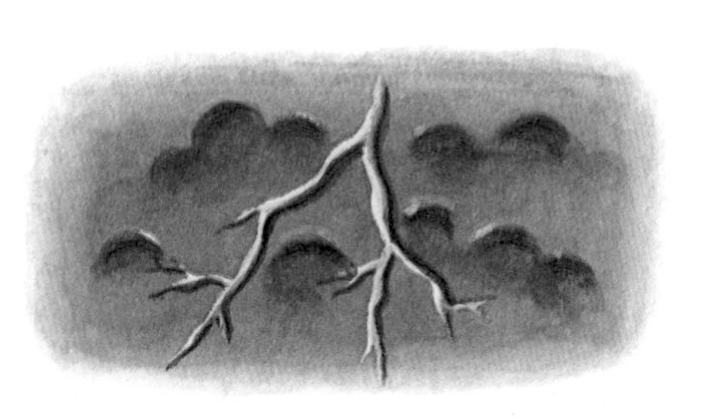

lightning / *el relámpago*

Lightning is the flash that we see in the sky during a thunderstorm.

*El **relámpago** es un rayo que se ve en el cielo durante una tormenta.*

lion / *el león*

A **lion** is a fierce, wild animal. **Lions** are part of the cat family.

*Un **león** es un animal feroz y salvaje. Los **leones** pertenecen a la familia de los gatos.*

lizard / *la lagartija*

A **lizard** is an animal with short legs and a long tail.

*Una **lagartija** es un animal de patas cortas y una cola larga.*

lock / *el candado*

The cupboard has a **lock** on it. You need a key to un**lock** the cupboard.

*El armario tiene un **candado**. Tú necesitas una llave para poder abrir el **candado** del armario.*

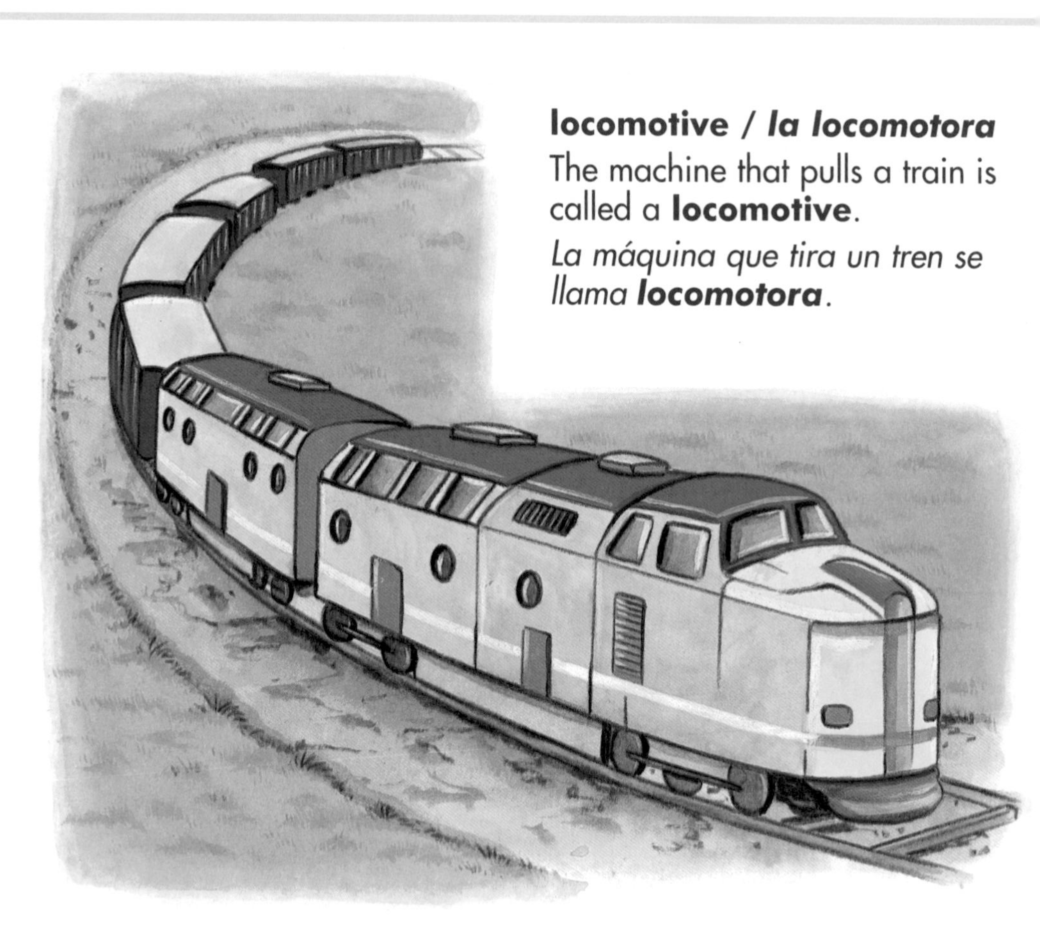

locomotive / *la locomotora*

The machine that pulls a train is called a **locomotive**.

*La máquina que tira un tren se llama **locomotora**.*

lollipop / *el pirulí*

A **lollipop** is a sweet on a stick. We lick a **lollipop**.

*Un **pirulí** es un dulce con un palito. Nosotros lo chupamos.*

Mm

machine / *la máquina*

A **machine** is something that helps us to do work. We clean clothes in a washing-**machine**.

*Una **máquina** es algo que nos ayuda con el trabajo. Nosotros lavamos nuestra ropa en una lavadora.*

magic / *la magia*

The man is doing **magic** tricks. It is difficult to understand how a **magic** trick works.

*El hombre está haciendo trucos de **magia**. Es difícil entender cómo un truco mágico funciona.*

mask / *la máscara*

The boy is wearing a **mask**. His face is covered with a **mask**.

*El niño lleva una **máscara**. Su cara está cubierta por una **máscara**.*

mat / *la estera*

A **mat** is like a small rug. We wipe our feet on a door**mat**.

*Una **estera** es una alfombra pequeña. Nosotros nos limpiamos los zapatos en una **estera**.*

medicine / *la medicina*

Medicine is something we take to make us better.

*Una **medicina** es algo que tomamos para mejorarnos.*

mermaid / *la sirena*

In stories, a **mermaid** is a woman who lives in the sea and has a fish's tail.

*En los cuentos la **sirena** es una mujer que vive en el mar y tiene una cola de pez.*

milk / *la leche*

Milk is a white drink that comes from cows. Children drink lots of **milk**.

*La **leche** es una bebida blanca, proviene de las vacas. Los niños toman mucha **leche**.*

mirror / *el espejo*

A **mirror** is a piece of glass that we can see ourselves in.

*El **espejo** es un tipo de vidrio en el que nos podemos ver.*

mole / *el topo*

A **mole** is a furry animal that lives underground.

*Un **topo** es un animal peludo que vive debajo de la tierra.*

moneybox / *la hucha*

We keep our savings in a **moneybox**.

*Nosotros guardamos nuestros ahorros en una **hucha**.*

monkey / *el mono*

A **monkey** is a wild, furry animal which is very good at climbing.

*El **mono** es un animal peludo, salvaje y es un gran trepador.*

mountain / *la montaña*

A hill that is very high is called a **mountain**.

*Una colina muy alta se llama **montaña**.*

mouse / *el ratón*

A **mouse** is a tiny animal with a long tail and sharp teeth.

*Un **ratón** es un animal muy pequeño con una cola muy larga y unos dientes muy afilados.*

mouth / *la boca*

A **mouth** is the opening in our face. We talk and eat with our **mouths**.

*La **boca** es una apertura en nuestra cara. Nosotros hablamos y comemos con la **boca**.*

mushroom / *el champiñón*

A **mushroom** is a small plant that grows in woods and fields.

*Un **champiñón** es una planta pequeña que crece en los bosques y los campos.*

music / *la música*

Music is the nice sound you make when you sing. Guitar **music** also sounds good.

*La **música** es el sonido bonito que uno hace cuando canta. La **música** de una guitarra también suena bien.*

Nn

neck / *el cuello*

The **neck** is the part of the body that joins the head to the shoulders. Giraffes have very long **necks**.

*El **cuello** es la parte de nuestro cuerpo que une la cabeza con los hombros. Las girafas tienen **cuellos** muy largos.*

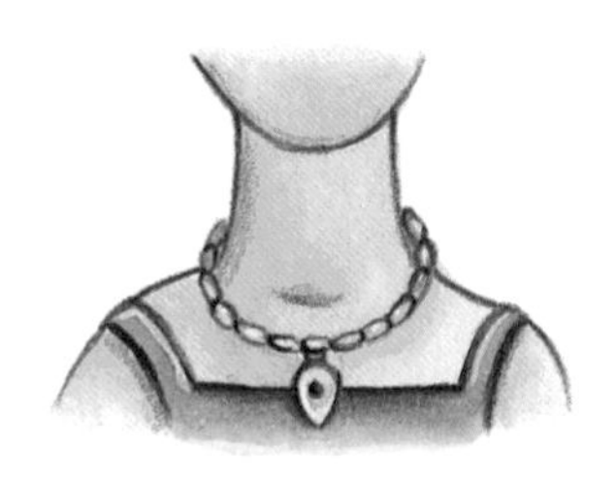

necklace / *el collar*

Some people wear a decoration round their neck called a **necklace**.

*Algunas personas se ponen alrededor de sus cuellos un adorno que se llama **collar**.*

needle / *la aguja*

We use a **needle** for sewing.

*Nosotros usamos una **aguja** para cocer.*

nest / *el nido*

Birds, and some other animals, make a home called a ***nest***.

*Los pájaros y algunos otros animales forman una casa que se llama **nido**.*

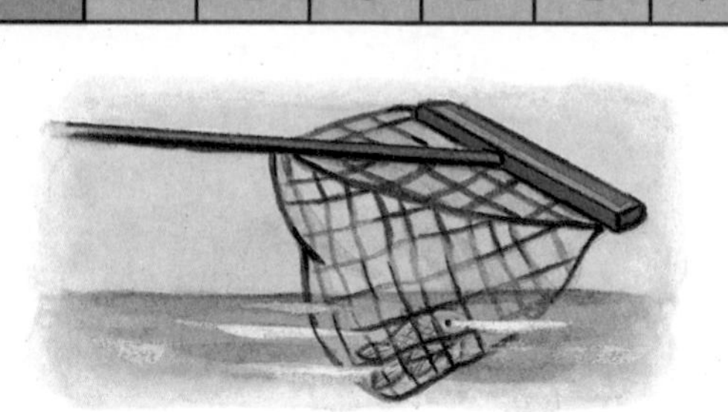

net / *la red*

Sometimes a **net** is used for catching fish.

*Algunas veces usamos una **red** para pezcar.*

newt / *el tritón*

A **newt** is like a lizard that lives partly in water.

*Un **tritón** es como una lagartija que parcialmente vive en el agua.*

nose / *la nariz*

We breathe and smell through our **nose**.

*Nosotros respiramos y olemos con la **nariz**.*

nurse / *la enfermera*

A **nurse** looks after us when we are sick.

*Una **enfermera** nos cuida cuando estamos enfermos.*

nuts / *las nueces*

When we have taken off the hard shells, we can eat **nuts**.

*Cuando quitamos las cascaras duras podemos comer las **nueces**.*

Oo

oar / *el remo*

An **oar** is a long piece of wood with one flat end used to move a rowing boat.

*Un **remo** es un pedazo largo de madera con un extremo plano utilizado para mover botes de remo.*

ocean / *el océano*

An **ocean** is a very large sea. One **ocean** is the Atlantic **Ocean**.

*Un **océano** es un mar muy grande. Uno de los **océanos** es el **Océano** Atlántico.*

octopus / *el pulpo*

An **octopus** lives in the sea. It has eight long legs with suckers on them.

*El **pulpo** vive en el mar. Tiene ocho patas largas cubiertas de ventosas.*

onion / *la cebolla*

Onions are good to eat. We cry when we cut an **onion**.

*Las **cebollas** son saludables. Nosotros lloramos al cortar las **cebollas**.*

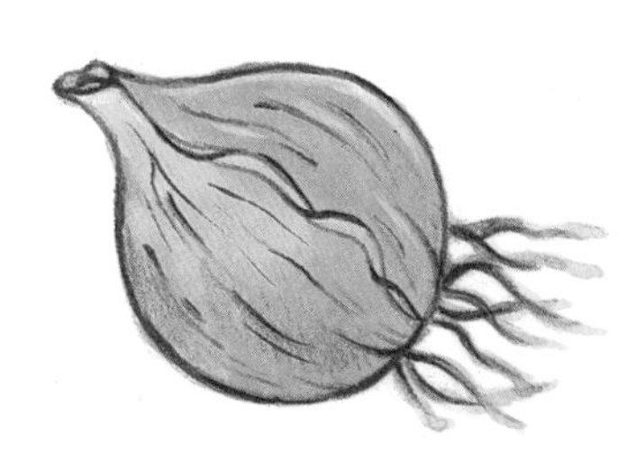

orange / *naranja*

Orange is a colour. The boy's jumper is **orange**.

*El **naranja** es un color. El jersey del niño es de color **naranja**.*

orange / *la naranja*

An **orange** is a kind of fruit. **Oranges** are sweet and good to eat.

*Una **naranja** es un tipo de fruta. Las **naranjas** son dulces y saludables.*

orchard / *el huerto*

A field full of fruit trees is called an **orchard**.

*Un campo lleno de árboles frutales se llama **huerto**.*

orchestra / *la orquesta*

A lot of people making music together is called an **orchestra**.

*Un grupo de personas que juntos producen música se llama **orquesta**.*

ostrich / *el avestruz*

The **ostrich** is the largest bird in the world. An **ostrich** cannot fly.

*El **avestruz** es el ave mas grande del mundo. Un **avestruz** no puede volar.*

otter / *la nutria*

An **otter** is a brown, furry animal which swims well and eats fish.

*Una **nutria** es un animal marrón y peludo que nada bien y come pescado.*

oven / *el horno*

We cook lots of things like cakes and biscuits in an **oven**.

*Nosotros horneamos muchas cosas en un **horno**, por ejemplo pasteles y galletas.*

overalls / *el mono*

We wear **overalls** when working, to keep our clothes clean.

*Cuando estamos trabajando nosotros llevamos un **mono** para mantener nuestra ropa limpia.*

owl / *el búho*

An **owl** is a bird with a big head and big eyes. **Owls** can see well in the dark.

El ***búho*** es un ave con una cabeza grande y unos ojos grandes. Los ***búhos*** ven bien en la oscuridad.

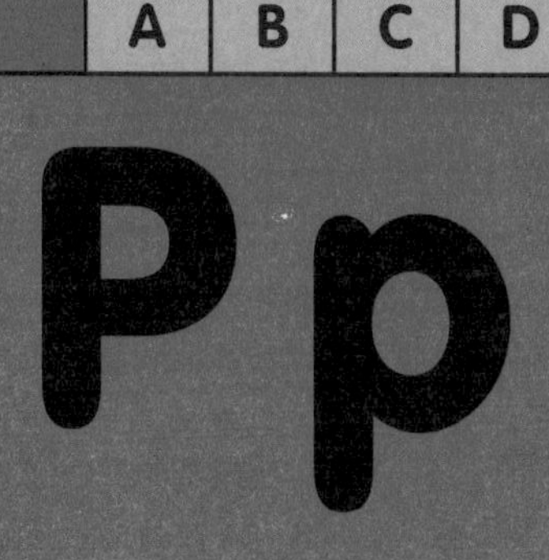

Pp

pail / *el cubo*

Jack and Jill carried a **pail** of water.

Jack and Jill llevaban un ***cubo*** *de agua.*

paint / *la pintura*

We put **paint** on things to make them bright and pretty.

Nosotros usamos ***pintura*** *para poner las cosas brillantes y bonitas.*

pancake / *la crepe*

A **pancake** is flat and round, and good to eat.

Una ***crepe*** *es plana y redonda y sabe muy bien.*

panda / *el oso panda*

A **panda** is a big, black and white bear.

Un ***panda*** *es un oso grande y es blanco y negro.*

parade / *el desfile*

It is fun to watch a circus **parade**.

*Es muy divertido mirar un **desfile** de circo.*

park / *el parque*

A **park** is a place with grass and trees, where anyone can play.

*Un **parque** es un lugar con hierba y árboles donde cualquiera puede jugar.*

parrot / *el loro*

A **parrot** is a colourful bird which can learn to say some words.

*Un **loro** es un ave de muchos colores que puede aprender a decir algunas palabras.*

party / *la fiesta*

At a **party**, we have lots of fun. We have a **party** on our birthday

*En una **fiesta** nos divertimos mucho. Nosotros hacemos una **fiesta** en nuestro cumpleaños.*

paw / *la zarpa*

A **paw** is an animal's foot with claws. Dogs and cats have **paws**.

*Una **zarpa** es un pie de un animal con garras. Los perros y los gatos tienen **zarpas**.*

peacock / *el pavo real*

A **peacock** is a bird with a tail of colourful feathers.

*Un **pavo real** es un ave con una cola de plumas llena de colores.*

pen / *el bolígrafo / la pluma*

We can write and draw with a **pen**.

*Nosotros podemos escribir o dibujar con un **bolígrafo** o una **pluma**.*

pets / *las mascotas*

Pets are animals that we keep as special friends. A **pet** can be a dog, a cat, a rabbit, a canary or a goldfish.

*Nosotros cuidamos a las **mascotas**, estos animales son nuestros amigos especiales. Una **mascota** puede ser un perro, un gato, un conejo, un canario o un pez de colores.*

piano / *el piano*

We can make music with a **piano**.

*Nosotros podemos hacer música con un **piano**.*

picnic / *el picnic*

When we eat outdoors, we are having a **picnic**.

*Cuando merendamos en el campo, hacemos un **picnic**.*

pie / *el pastel / la tarta*

A **pie** is filled with fruit or meat and cooked in the oven.

*Un **pastel** o una **tarta** se rellena con fruta o con carne y se hornea.*

pig / *el cerdo*

A **pig** is a pink animal with a curly tail.

*Un **cerdo** es un animal rosado con una cola retorcida.*

pigeon / *la paloma*

A **pigeon** is a bird which can find its way home from far away.

*La **paloma** es un ave que puede encontrar el camino a su casa desde muy lejos.*

pilot / *el piloto*

A **pilot** is the person who flies an aircraft.

*Un **piloto** es una persona que maneja un avión.*

pink / *rosa / rosado*

Pink is a colour. The ballet shoes are **pink**.

*El **rosa** es un color. Las zapatillas de ballet son **rosadas**.*

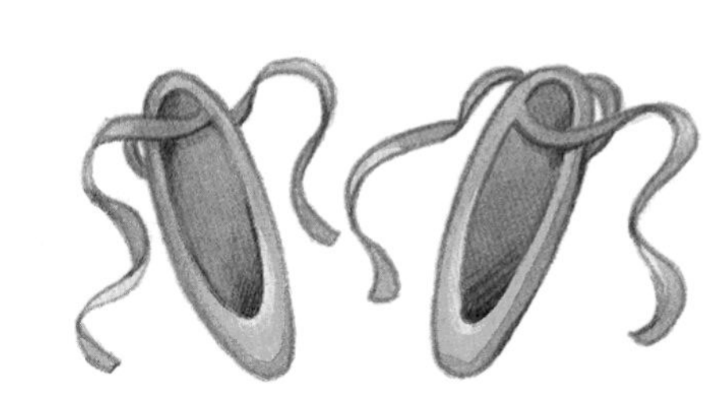

pirate / *el pirata*

A **pirate** is someone who robs from ships.

Un ***pirata*** *es alguien que roba los barcos.*

pocket / *el bolsillo*

A **pocket** is like a little bag in our clothes where we can keep things.

Un ***bolsillo*** *es como una bolsa pequeña en nuestra ropa donde guardamos cosas.*

polar bear / *el oso blanco*

A **polar bear** is a wild animal that lives in very cold places.

Un ***oso blanco*** *es un animal salvaje que vive en lugares muy fríos.*

pond / *la charca / el estanque*

A **pond** is a small patch of water. Sometimes we have a **pond** in the garden.

Una ***charca*** *es un depósito pequeño de agua. A veces tenemos un* ***estanque*** *en nuestro jardín.*

pony / *el póney*
A **pony** is a little horse.
Un ***póney*** es un caballo pequeño.

puppet / *el títere*
We play with a **puppet** by moving its strings. There are also glove **puppets**.
*Nosotros movemos un **títere** tirando de las cuerdas. También hay **títeres** de guante.*

puppy / *el cachorro*
A **puppy** is a young dog.
*Un **cachorro** es un perro joven.*

purple / *morado*
Purple is a colour. The flowers are **purple**.
*El **morado** es un color. Las flores son **moradas**.*

purse / *el monedero*
We put money in a **purse** to keep it safe.
Nosotros guardamos el dinero en un ***monedero***.

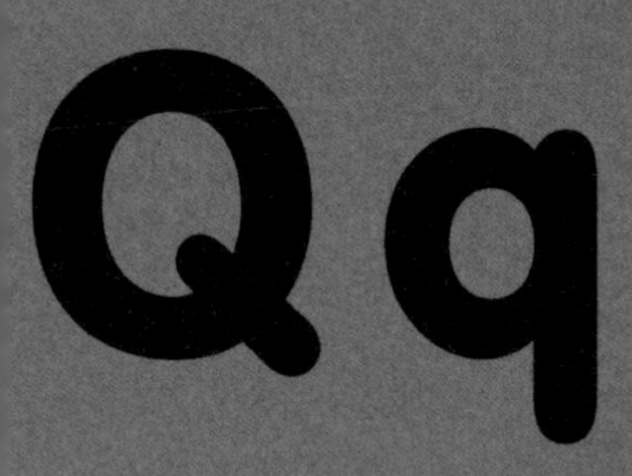

quack / *"Cuac"* / *el graznido*

Ducks **quack**. "**Quack**" is the sound they make.

*Los patos dan **graznidos**. "**Cuac**" es el sonido que hacen.*

queen / *la reina*

A **queen** is the head of a country. The wife of a king is also a **queen**.

*Una **reina** es la cabeza del Estado. La esposa del rey es también una **reina**.*

quilt / *el adredón*

A **quilt** is the warm, padded cover on our bed.

Un ***adredón*** es un cobertor caliente relleno de plumas que se usa para cubrir camas.

quiver / *el carcaj*

We carry arrows in a **quiver**.

*Nosotros cargamos las flechas en un **carcaj**.*

Rr

rabbit / *el conejo*

A **rabbit** is a small, furry animal, with very long ears.

*Un **conejo** es un animal peludo y pequeño con unas orejas muy largas.*

race / *la carrera*

We have a **race** to see who is the fastest at something. The children are in a swimming **race**.

*Nosotros organizamos **carreras** para ver quien es el más rápido en algo. Los niños estan en una **carrera**.*

raft / *la balsa*

A **raft** is a flat boat made out of wood.

*Una **balsa** es un tipo de bote plano hecho de madera.*

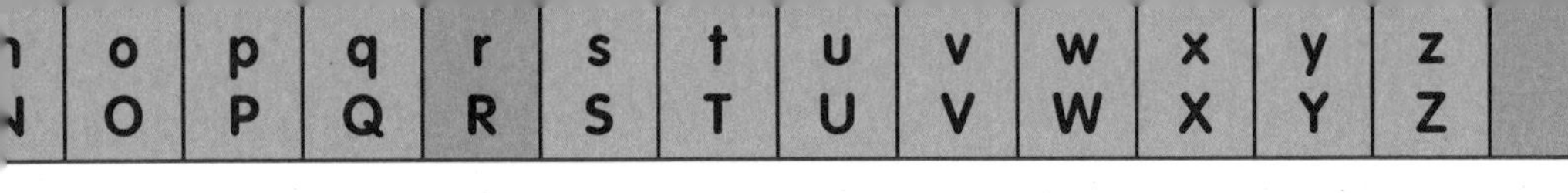

railway / *la vía ferrea*

A **railway** is the rail track that trains and trams run on.

*La **vía ferrea** es la vía de los ferrocarriles y los tranvías.*

rain / *la lluvia*

Rain falls on us from the clouds. We get wet when it is **raining**.

*La **lluvia** cae sobre nosotros de las nubes. Nos mojamos cuando **llueve**.*

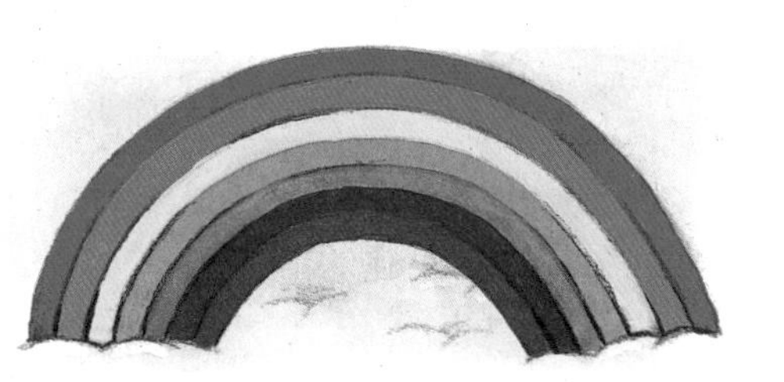

rainbow / *el arco iris*

When the sun shines after it has rained, we sometimes see a **rainbow**.

*Cuando el sol sale, después de llover, a veces podemos ver un **arco iris**.*

rattle / *el sonajero*

A baby will play with a **rattle**. A **rattle** makes a **rattling** noise.

*El bebé juega con un **sonajero**. El **sonajero** produce un ruido de golpeteo.*

red / *rojo*

Red is a colour. The bus is **red**.

*El **rojo** es un color. El autobús es **rojo**.*

reindeer / *el reno*

A **reindeer** is an animal with very large horns.

*Un **reno** es un animal con astas muy grandes.*

ring / *el anillo*

Sometimes we wear a **ring** on our finger. A **ring** is a circle.

*A veces llevamos un **anillo** en nuestro dedo. Un **anillo** es un círculo.*

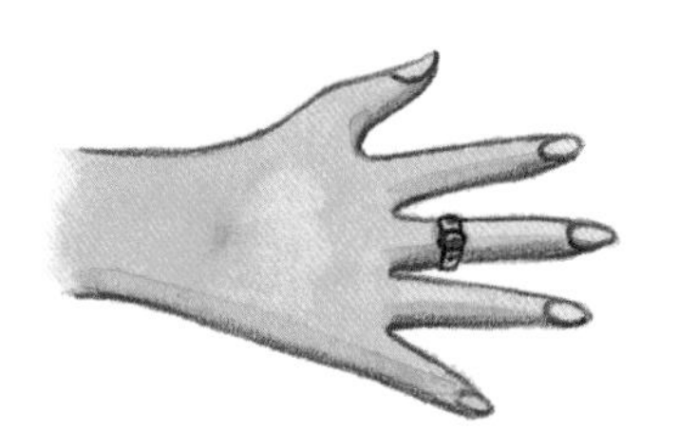

river / *el río*

A **river** is a large stream of moving water.

*Un **río** es una corriente grande de agua continua.*

robot / *el robot*

This toy **robot** is a machine in the shape of a person.

*Este **robot** de juguete es una máquina que se parece a una persona.*

rocket / *el cohete*

A **rocket** shoots up into the air. It is fun to see **rockets** when they are fireworks.

*Los **cohetes** se lanzan al aire. Es divertido observar los **cohetes** creando fuegos artificiales.*

rocking horse / *el caballo de balancín*

When we are little, we can play on a **rocking horse**.

*Cuando somos pequeños nos podemos mecer en un **caballo de balancín**.*

roller skates / *los patines de rueda*

We can move fast when we play on **roller skates**.

*Cuando jugamos sobre **patines de rueda** nos movemos muy rápido.*

root / *la raíz*

A **root** is the part of a tree or a plant under the ground.

*Una **raíz** es una parte de una planta o un árbol bajo tierra.*

runway / *la pista*

Aircraft land and take off from a **runway**. A **runway** is a road for aircraft.

*Los aviones aterrizan y despegan en una **pista**. Una **pista** es la carretera para aviones.*

Ss

saddle / *la silla de montar*

You sit in a **saddle** when you ride a horse.

Tú te sientas en una ***silla de montar*** *cuando montas un caballo.*

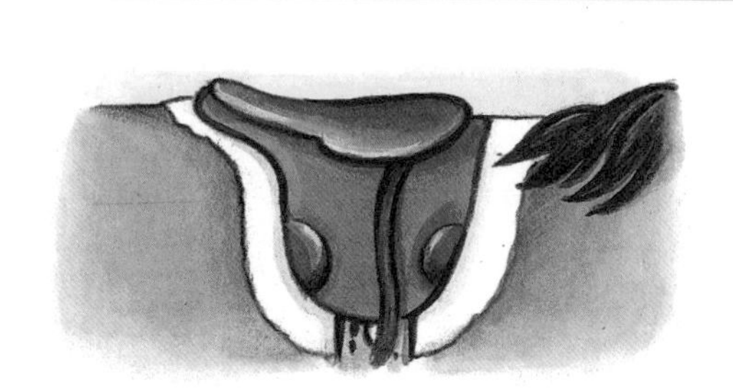

sail / *la vela*

The wind blows into the **sail** and moves the boat along.

El viento sopla contra la ***vela*** *y así mueve el barco.*

salad / *la ensalada*

A **salad** is a mixture of vegetables or fruit. **Salads** are cold.

Una ***ensalada*** *es una mexcla de verduras o frutas. Las* ***ensaladas*** *son frías.*

sandcastle / *el castillo de arena*

It is fun to build a **sandcastle** on the beach.

Es divertido construir ***castillos de arena*** *en la playa.*

Santa Claus / *Papá Noel*

Sata Claus brings us presents at Christmas.

Papá Noel *nos trae regalos en Navidad.*

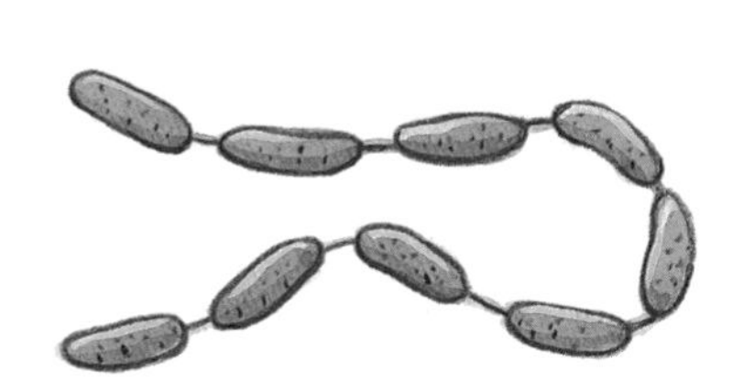

sausages / *las salchichas*

Here is a string of **sausages**. Most children enjoy eating **sausages**.

Aquí hay una ristra de ***salchichas****. A la mayoría de los niños les gustan las* ***salchichas****.*

saw / *la sierra*

A **saw** has a sharp, jagged edge. We cut things with a **saw**.

Una ***sierra*** *tiene un borde con dientes afilados y triscados. Nosotros cortamos las cosas con una* ***sierra****.*

school / *la escuela*

People go to **school** to learn things. Children learn to read and write at **school**.

*Nosotros vamos a la **escuela** par aprender. Los niños aprenden a leer y a escribir en una **escuela**.*

scissors / *las tijeras*

Scissors will cut paper and cloth. We say that we have a pair of **scissors**.

*Las **tijeras** cortan papel y tela. Nosotros tenemos unas **tijeras**.*

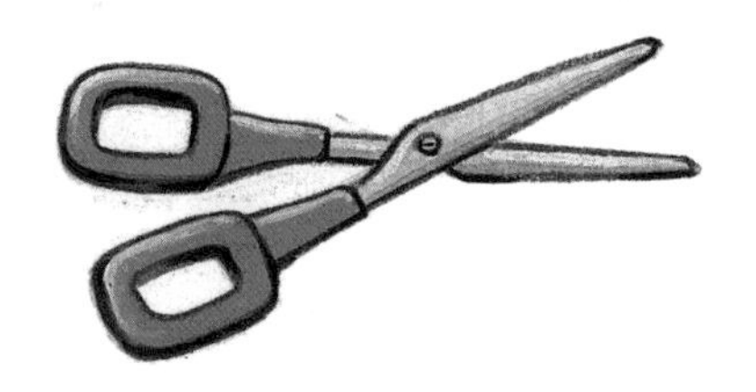

sea / *el mar*

The **sea** is the water that covers most of the earth. **Sea** water is sal

*El **mar** es una masa de agua que cubre la mayor parte de la superficie de la Tierra. El agua de **mar** es salada.*

seal / *la foca*

A **seal** is an animal with fur and flippers which spends most of its time in the sea.

*La **foca** es un animal de pelo con aletas que pasa la mayor parte del tiempo en el mar.*

seashells / *las conchas*

We find **seashells** beside the sea. A little animal used to live in each **seashell**.

*Nosotros encontramos las **conchas** al lado del mar. Un animal pequeño vivía detro de cada **concha**.*

see-saw / *el balancín*

The children are playing on the **see-saw**.

*Los niños juegan en un **balancín**.*

shadow / *la sombra*

A light in front of us makes a **shadow** behind us.

*Una luz delante de nosotros crea una **sombra** detrás de nosotros.*

shark / *el tiburón*

A **shark** lives in the sea. Some **sharks** eat people!

*Un **tiburón** vive en el mar. ¡Algunos tiburones se comen la gente!.*

sheep / *la oveja*

We keep **sheep** on farms. Wool is made from a **sheep's** coat.

*Nosotros criamos **ovejas** en las granjas. La lana proviene del abrigo de las **ovejas**.*

ship / *el barco*

We travel across the sea in a **ship**. Some **ships** are very big.

*Nosotros cruzamos los mares en **barcos**. Algunos **barcos** son muy grandes.*

shop / *la tienda*

We can buy things in a **shop**.

*Nosotros podemos comprar cosas en una **tienda**.*

shower / *la ducha*

A **shower** sprays us with water so that we can wash ourselves.

*Una **ducha** nos rocía con agua y nosotros nos lavamos.*

signpost / *el indicador*

A **signpost** points the way to somewhere.

*Un **indicador** nos señala el camino.*

singer / *el cantante*

Someone who makes music with their voice is a **singer**.

*Alguien que produce música con su voz es un **cantante**.*

skateboard / *el monopatín*

A **skateboard** is a board with wheels which we can play on.

*El **monopatín** es una tabla sobre ruedas con la cual podemos jugar.*

skeleton / *el esqueleto*

Our **skeleton** is made up of all the bones in our body.

*Nuestro **esqueleto** se compone de todos los huesos del cuerpo.*

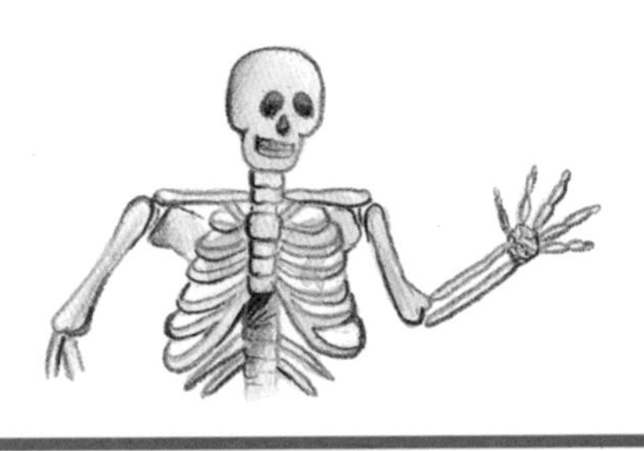

sleep / *dormir*

We go to bed to **sleep**. When we are tired, we need to have a **sleep**.

*Nosotros vamos a la cama para **dormir**. Cuando estamos cansados necesitamos **dormir**.*

sleigh / *el trineo*

We travel over the snow in a **sleigh**. Santa uses a **sleigh**.

*Nosotros viajamos sobre la nieve en un **trineo**. Papá Noel usa un **trineo**.*

smoke / *el humo*

Smoke is the dark cloud that we see when something is burning.

*El **humo** es una nube oscura que se ve cuando algo se está quemando.*

snail / *el caracol*

A **snail** is a small animal with a shell on its back which moves very slowly.

*El **caracol** es un animal pequeño con una concha en su espalda y se mueve muy despacio.*

snake / *la serpiente*

Snakes are long, thin animals without legs. A **snake** slides along the ground.

*Las **serpientes** son animales largos, delgados y sin patas. Una **serpiente** se desliza sobre la tierra.*

snow / *la nieve*

When it is cold, flakes of frozen water called **snow** fall from the sky.

Cuando hace frío, copos de agua congelada, llamados ***nieve****, caen del cielo.*

spider / *la araña*

A **spider** is a small animal with eight legs which makes a web to catch its food.

Una ***araña*** *es un animal pequeño con ocho patas que produce una telaraña para capturar su comida.*

squirrel / *la ardilla*

A **squirrel** is a red or grey animal with a bushy tail. **Squirrels** live in trees.

Una ***ardilla*** *es un animal rojo o gris con una cola tupida. Las* ***ardillas*** *viven en los árboles.*

stars / *las estrellas*

We see tiny lights in the sky at night. They are the **stars**.

Nosotros observamos de noche pequeñas luces en el firmamento. Estas se llaman ***estrellas****.*

starfish / *la estrella de mar*

A **starfish** is a star-shaped sea animal.

*Una **estrella de mar** es un animal marino con forma de estrella.*

steeple / *el campanario*

A **steeple** is the high, pointed top of a church.

*Un **campanario** es la torre alta y punteaguda de la iglesia.*

storm / *la tempestad*

It is a **storm** when there are strong winds and heavy rain.

*Hay una **tempestad** cuando hace mucho viento y llueve.*

street / *la calle*

A road with houses or shops along it is a **street**.

*Una carretera con casas y tiendas es una **calle**.*

submarine / *el submarino*

A **submarine** is a boat that can go under the water.

*Un **submarino** es un barco que navega debajo del agua.*

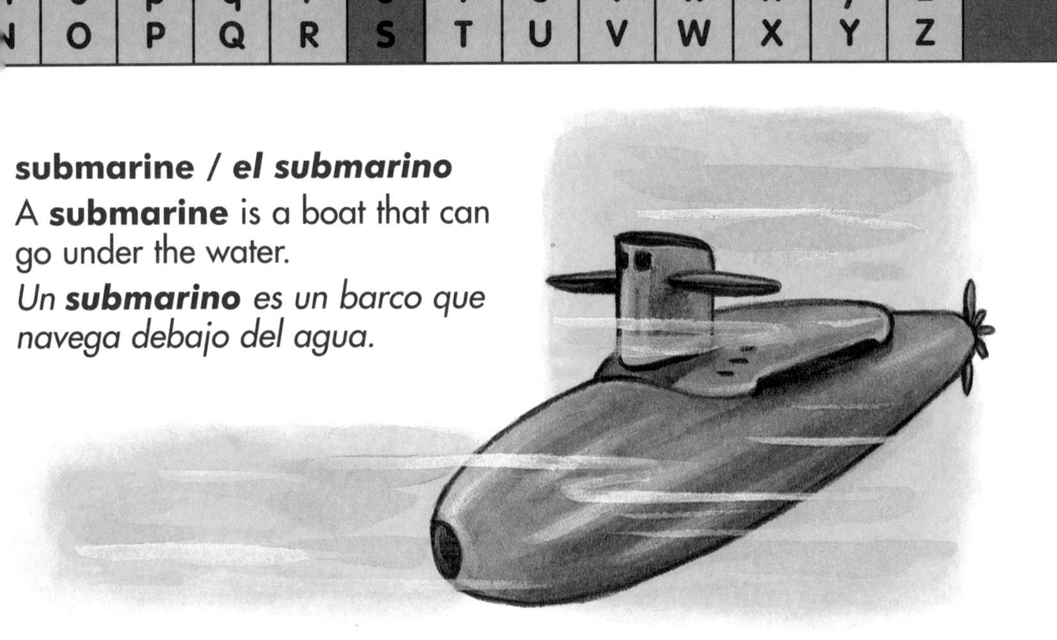

sunflower / *el girasol*

A **sunflower** is a large, golden flower which always faces the sun.

*Un **girasol** es una flor grande y dorada que siempre se orienta hacia el sol.*

supermarket / *el supermercado*

A very big shop is called a **supermarket**.

*Una tienda muy grande se llama **supermercado**.*

swan / *el cisne*

A **swan** is a big, white bird with a very long neck.

*Un **cisne** es un ave grande y blanca con un cuello muy largo.*

Tt

tail / *la cola*
A **tail** is the end of something. Most animals have **tails**.
*La **cola** es el final de algo. La mayoría de los animales tienen **cola**.*

tambourine / *la pandereta*
Sometimes we make music with a **tambourine**.
*A veces pruducimos música con una **pandereta**.*

tangle / *enredar*
The dogs' leads are in a **tangle**. They are all knotted together.
*Las correas de los perros estan **enredadas**. Estan anudadas.*

taxi / *el taxi*
A **taxi** is a car that will take us places for money.
*Un **taxi** es un coche que nos lleva a nuestro destino por dinero.*

teacher / *el maestro*

The **teacher** teaches us things at school.

*El **maestro** nos enseña en la escuela.*

Teddy bear / *el osito de peluche*

A **Teddy bear** is soft and warm.

*Un **osito de peluche** es suave y cálido.*

telephone / *el teléfono*

We talk on the **telephone** to someone far away.

*Nosotros hablamos por **teléfono** con personas muy lejos.*

television / *la televisión*

Television shows us pictures in our homes from far away.

*La **televisión** transmite imagenes a nuestras casas desde muy lejos.*

tent / *la tienda de campaña*

When we are camping, we sleep i
a **tent**.

Cuando nos vamos de campament
dormimos en una ***tienda de campaña***.

theatre / *el teatro*

We go to the **theatre** to see actors and hear music.

*Nosotros vamos al **teatro** para escuchar actores y música.*

thermometer / *el termómetr*

When we are not well, a **thermometer** measures how ho
we are.

*Cuando no nos sentimos bien un **termómetro** mide nuestra temperatura.*

thumb / *el pulgar*

On each hand, we have a **thumb** and four other fingers.

*En cada mano tenemos un **pulgar** más cuatro dedos.*

tiger / *el tigre*

A **tiger** is a big, wild animal with a striped coat.

*Un **tigre** es un animal grande y salvaje con piel a rayas.*

toes / *los dedos del pie*

We have five **toes** on the end of each foot.

*Nosotros tenemos cinco **dedos** al final de cada pie.*

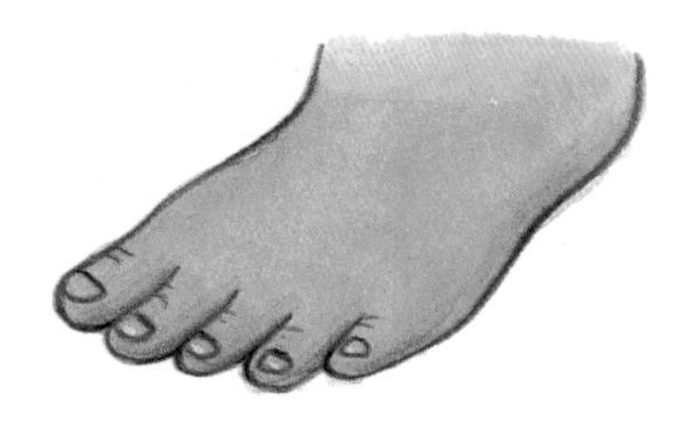

tomato / *el tomate*

A **tomato** is a soft red fruit. We eat **tomatoes** raw or cooked.

*Un **tomate** es una fruta blanda y roja. Nosotros comemos **tomates** crudos o cocidos.*

tools / *las herramientas*

Tools help us to do work. A screwdriver is a **tool**.

***Las herramientas** nos ayudan en el trabajo. El destornillador es una **herramienta**.*

tooth / *el diente*

A **tooth** is one of the hard white bones in our mouth. We bite things with our **teeth**.

*Un **diente** es un hueso duro y blanco en la boca. Nosotros mordemos las cosas con los **dientes**.*

tortoise / *la tortuga*

A **tortoise** is a slow-moving animal with a hard shell on its back.

*La **tortuga** es un animal lento con una concha dura en su espalda.*

tower / *la torre*

The walls of a castle have **towers** at each corner. A **tower** is a tall, narrow building.

*Las murallas de un castillo tienen **torres** en cada esquina. Una **torre** es un edificio muy alto y estrecho.*

toys / *los juguetes*

Toy boats and **toy** drums are **toys**.

*Los barcos de **juguete** y los tambores de **juguete** son **juguetes**.*

tractor / *el tractor*

A **tractor** can pull heavy things over muddy ground.

*Un **tractor** puede tirar objetos pesados sobre tierra embarrada.*

train / *el tren*

A **train** is pulled by a locomotive. Sometimes there are lots of wagons in a **train**.

*Un **tren** es arrastrado por una locomotora. A veces hay muchos vagones en un **tren**.*

tree / *el árbol*

A **tree** is a very big plant. **Trees** have branches and leaves.

Un ***árbol*** es una planta muy grande. Los ***árboles*** tienen ramas y hojas.

truck / *el camión*

Lots of things are carried by road in a **truck**.

*Muchas cosas se transportan por la carretera en un **camión**.*

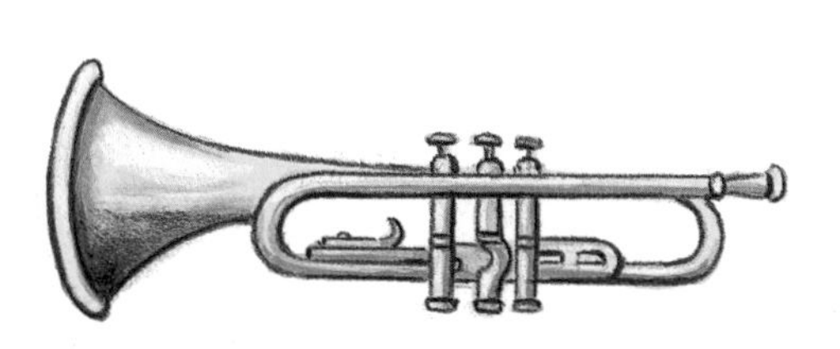

trumpet / *la trompeta*

We can make music by blowing a **trumpet**.

*Nosotros podemos hacer música soplando una **trompeta**.*

tunnel / *el túnel*

A **tunnel** is a passage under the ground.

*Un **túnel** es un paso por debajo de la tierra.*

U u

umbrella / *el paraguas*

An **umbrella** will keep us dry when it rains.

*Un **paraguas** nos mantiene secos cuando llueve.*

unicorn / *el unicornio*

In fairy tales, a **unicorn** is a magic animal with one horn on its head.

*En los cuentos de hadas un **unicornio** es un animal mágico con un cuerno en la cabeza.*

uniform / *el uniforme*

A **uniform** is a set of special clothes that some people wear. A nurse wears a **uniform**.

*Un **uniforme** es la ropa especial que llevan algunas personas. Una enfermera lleva un **uniforme** puesto.*

vacuum cleaner / *la aspiradora*

A **vacuum cleaner** is a machine that sucks up dirt.

*Una **aspiradora** es una máquina que aspira el polvo.*

valley / *el valle*

A **valley** is the low piece of land between hills.

*Un **valle** es una llanura de tierra entre montes.*

van / *la fulgoneta*

A small truck for delivering things is called a **van**.

*Un camión pequeño para repartir cosas se llama **fulgoneta**.*

vase / *el florero*

We put flowers in a **vase**.

*Nosotros ponemos flores en un **florero**.*

vegetables / *las verduras*

Vegetables are plants that we grow for food. ***Vegetables*** are good for us.

Las ***verduras*** *son plantas que cultivamos para comer. Las* ***verduras*** *son saludables.*

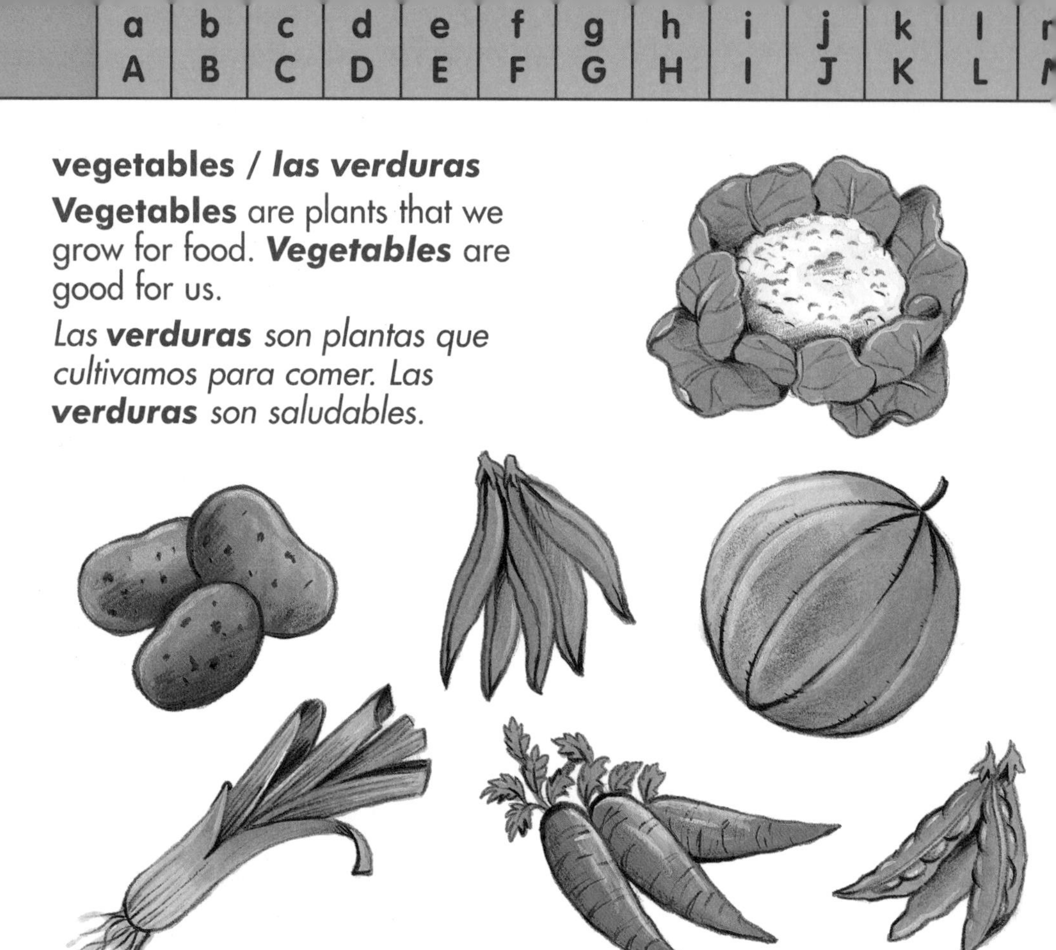

violin / *el violín*

We can make music on a **violin** by rubbing the bow against the strings.

Nosotros podemos hacer música con un ***violín*** *frotando el arco sobre las cuerdas.*

voice / *la voz*

When we sing and speak, we are using our **voice**.

Cuando cantamos o hablamos nosotros estamos utilizando nuestra ***voz***.

Ww

wagon / *el carro*

A **wagon** is a cart for carrying heavy loads. Sometimes a **wagon** is pulled by horses.

*Un **carro** es un carruaje para llevar cargas pesadas. A veces un **carro** es tirado por caballos.*

waist / *la cintura*

Our **waist** is in the middle of our body. Our body bends at the **waist**.

*La **cintura** está en el centro de nuestro cuerpo. Nuestros cuerpos se doblan por la **cintura**.*

walrus / *la morsa*

A **walrus** is a big sea animal with long tusks.

*Una **morsa** es un animal grande marino con dos colmillos largos.*

watch / *el reloj de muñeca*

A **watch** is like a small clock that we wear on our arm.

*El **reloj de muñeca** es un reloj pequeño que usamos en la muñeca del brazo.*

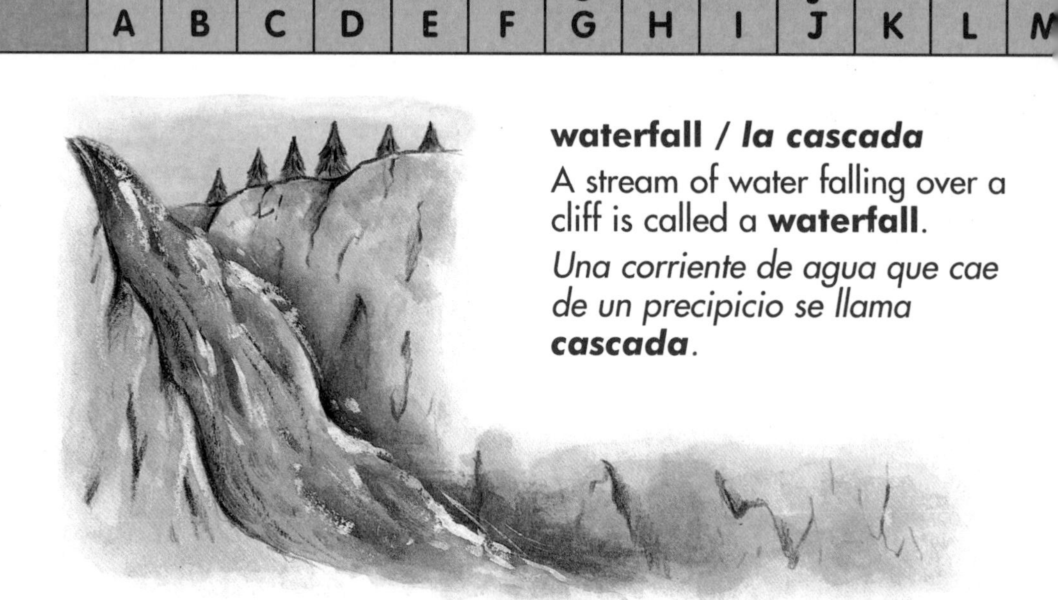

waterfall / *la cascada*

A stream of water falling over a cliff is called a **waterfall**.

*Una corriente de agua que cae de un precipicio se llama **cascada**.*

well / *el pozo*

A **well** is a deep hole in the ground with water in it.

*Un **pozo** es un hoyo profundo en la tierra que contiene agua.*

whale / *la ballena*

A ***whale*** is a big animal that lives in the sea.

*Una **ballena** es un animal grande que vive en el mar.*

wheelbarrow / *la carretilla*

We use a **wheelbarrow** in the garden. A **wheelbarrow** has two handles and one wheel.

*Nosotros usamos una **carretilla** en el jardín. Una **carretilla** tiene dos manillas y una rueda.*

wigwam / *el tipi*

A **wigwam** is a kind of tent that some American Indians used to live in.

*El **tipi** es un tipo de tienda de campaña que usaban algunos indios norteamericanos para vivir.*

windmill / *el molino de viento*

The wind blows round the sails of the **windmill**. **Windmills** are machines that can lift water.

*El viento mueve las astas del **molino de viento**. Estos **molinos** son máquinas que pueden subir agua.*

wing / *el ala*

The **wing** is the part of a bird that it uses to fly. Birds have two **wings**.

*Un **ala** es la parte del ave que se utiliza para volar. Las aves tienen dos **alas**.*

woodpecker / *el pájaro carpintero*

A **woodpecker** is a bird that pecks wood. You can often hear a **woodpecker** tapping on a tree.

*Un **pájaro carpintero** es un pájaro que picotea la madera. Con frecuencia se puede oir uno picoteando un árbol.*

worm / *la lombriz*

A **worm** is like a little snake that lives in the earth.

*La **lombriz** se parece a una culebra pequeña que vive en la tierra.*

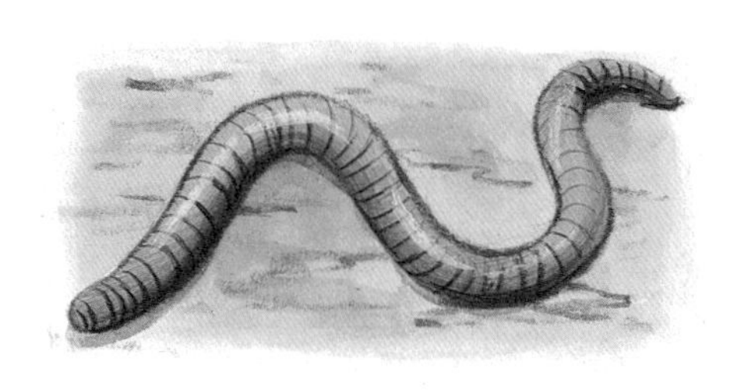

wrist / *la muñeca*

Our **wrist** joins our hand to our arm. We have two **wrists**.

*Nuestra **muñeca** une nuestra mano con nuestro brazo. Nosotros tenemos dos **muñecas.***

Xx

X-ray/ *la radiografía*

A picture of the inside of our body is called an **x-ray**.

*Una fotografía de la parte interna de nuestro cuerpo se llama **radiografía**.*

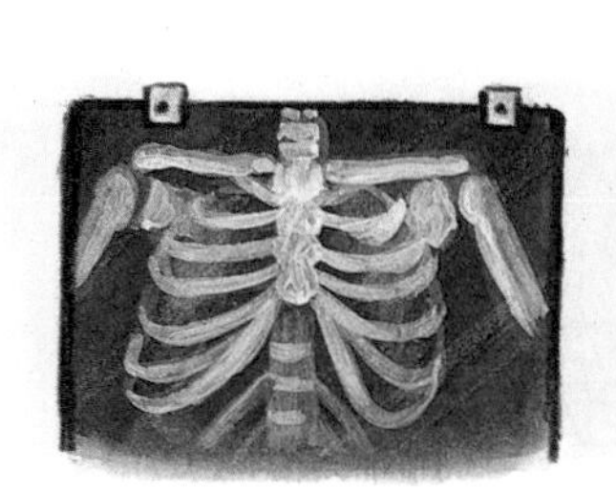

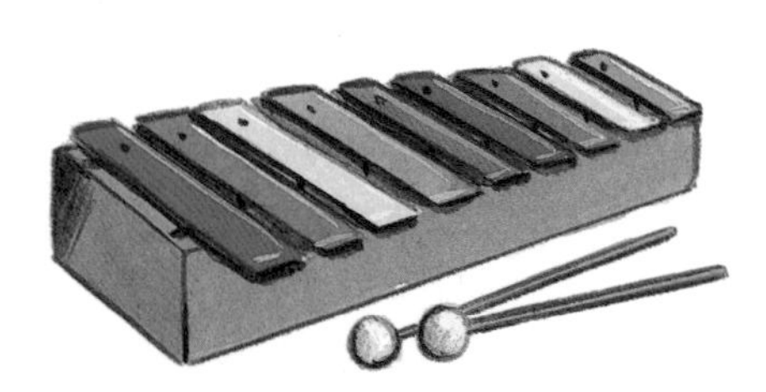

xylophone / *el xilófono*

We play a **xylophone** to make music.

*Nosotros tocamos un **xilófono** para hacer música.*

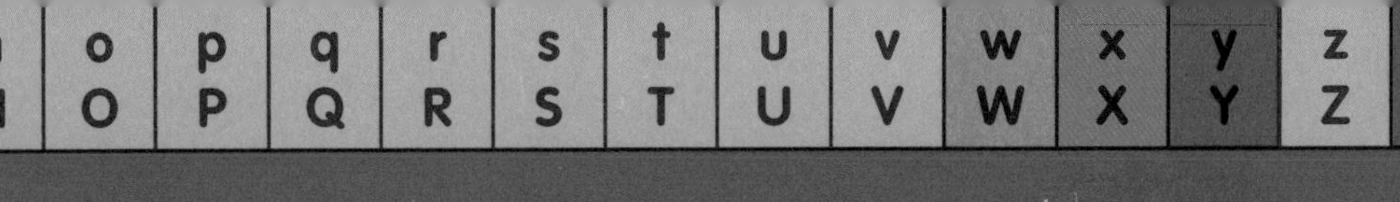

yacht / *el yate*
A boat with large sails is called a **yacht**.
*Un barco con una vela grande se llama **yate**.*

yawn / *bostezar*
We ***yawn*** when we are tired.
Nosotros ***bostezamos*** cuando estamos cansados.

yellow / *amarillo*
Yellow is a colour. The little bird is **yellow**.
*El **amarillo** es un color. El pajarito es **amarillo**.*

yo-yo / *el yoyó*
A **yo-yo** is a toy. We spin a **yo-yo** up and down.
*Un **yoyó** es un juguete. Nosotros hacemos subir y bajar un **yoyó**.*

	a	b	c	d	e	f	g	h	i	j	k	l	m
	A	B	C	D	E	F	G	H	I	J	K	L	M

n	o	p	q	r	s	t
N	O	P	Q	R	S	T

u	v	w	x	y	z
U	V	W	X	Y	Z

Zz

zebra / *la zebra*

A **zebra** is a wild animal like a striped horse.

*Una **zebra** es un animal salvaje y se parece a un caballo con rayas.*

zip / *la cremallera*

A ***zip*** at the front of our jacket fastens the sides together.

*Una **cremallera** se encuentra en la parte delantera de nuestra chaqueta y une los dos lados.*

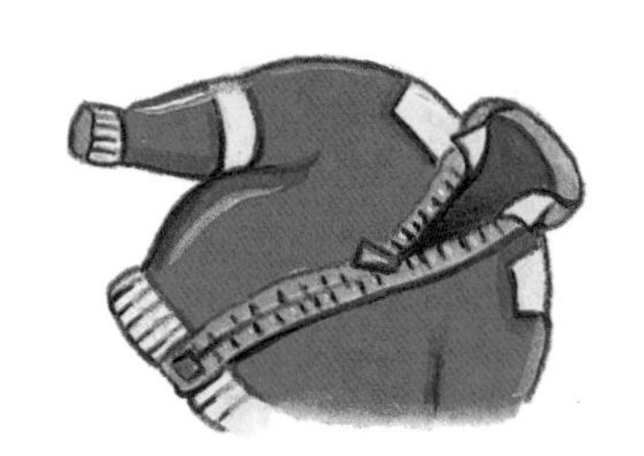

ck
despertador

tterfly
mariposa

My First 1000 WORDS

ENGLISH – SPANISH

rocket
el cohete

tractor
el tractor

flower
la flor

parrot
el loro

father
el padre

mother
la madre

brother
el hermano

sister
la hermana

contents: el índice

la familia | the family

our bodies

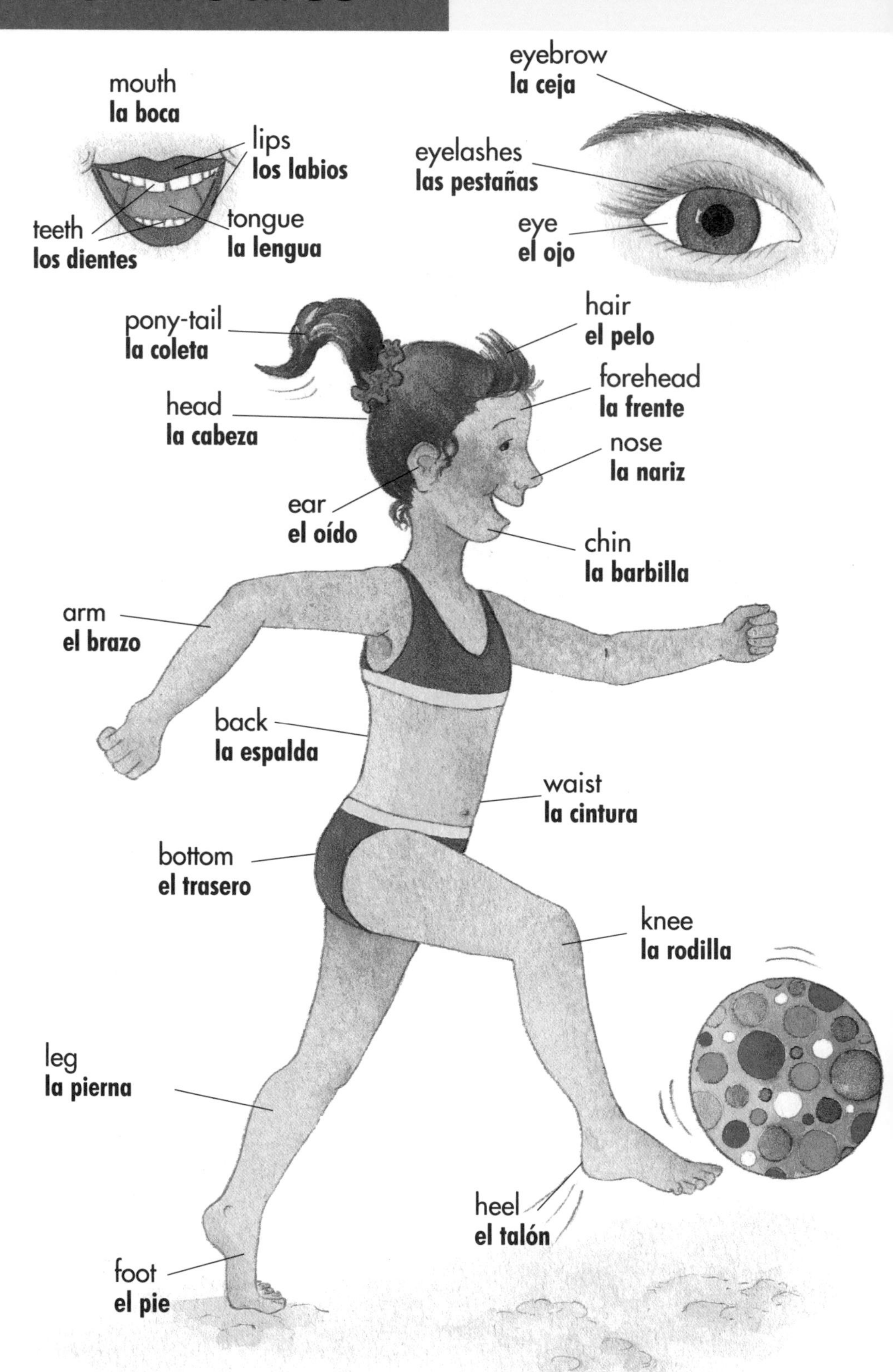

mouth
la boca
lips
los labios
teeth
los dientes
tongue
la lengua
eyebrow
la ceja
eyelashes
las pestañas
eye
el ojo
pony-tail
la coleta
hair
el pelo
forehead
la frente
head
la cabeza
nose
la nariz
ear
el oído
chin
la barbilla
arm
el brazo
back
la espalda
waist
la cintura
bottom
el trasero
knee
la rodilla
leg
la pierna
heel
el talón
foot
el pie

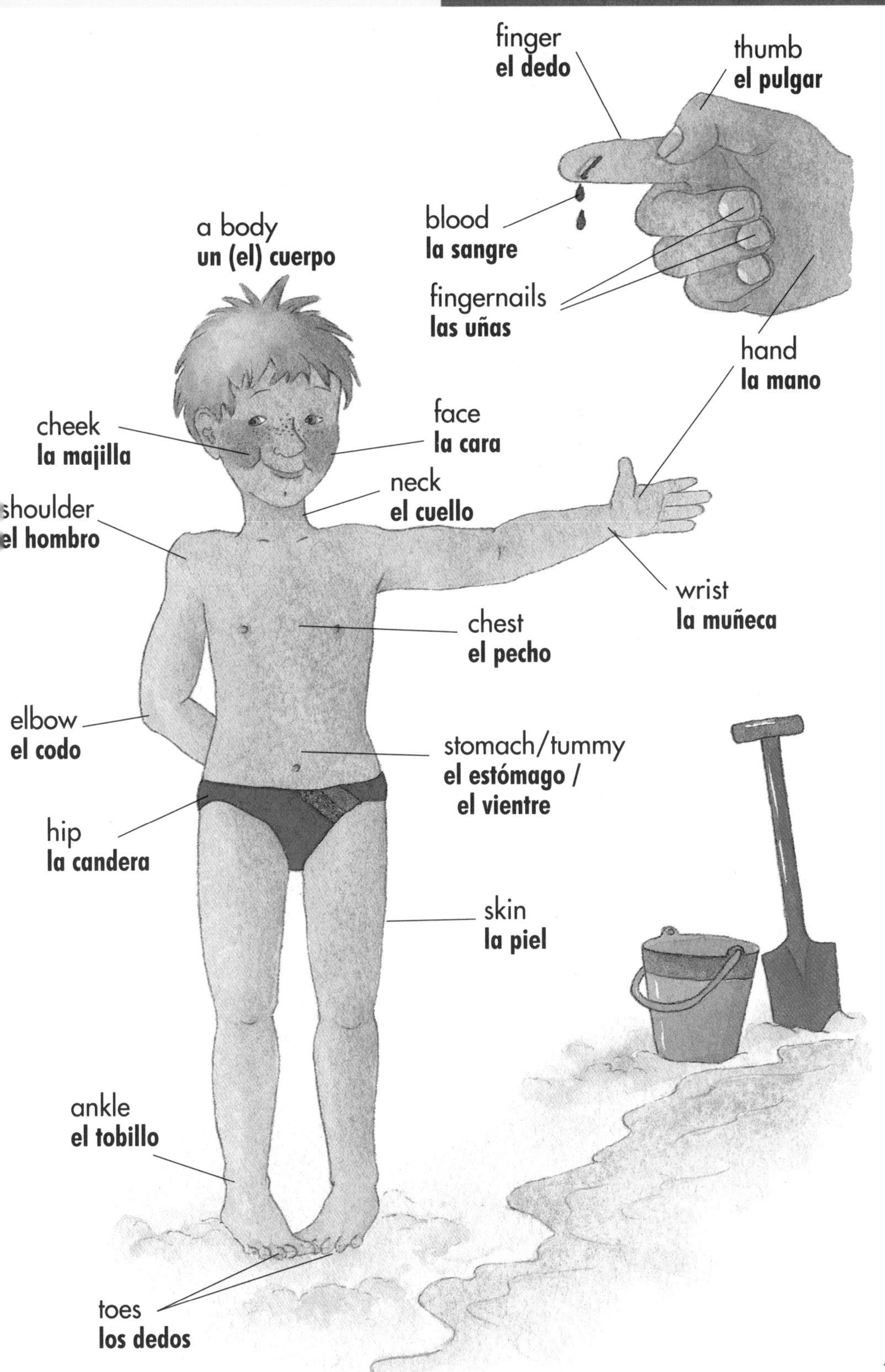
finger
el dedo
thumb
el pulgar
blood
la sangre
fingernails
las uñas
hand
la mano
a body
un (el) cuerpo
cheek
la majilla
face
la cara
neck
el cuello
shoulder
el hombro
wrist
la muñeca
chest
el pecho
elbow
el codo
stomach/tummy
el estómago /
el vientre
hip
la candera
skin
la piel
ankle
el tobillo
toes
los dedos

more words

bald
la calva
man
el hombre
boy
el niño
people
las personas
parents
los padres
moustache
el bigote
beard
la barba
bride
la novia
hear
oír
taste
saborear
twins
las gemelas
bridegroom
el novio

palabras adicionales

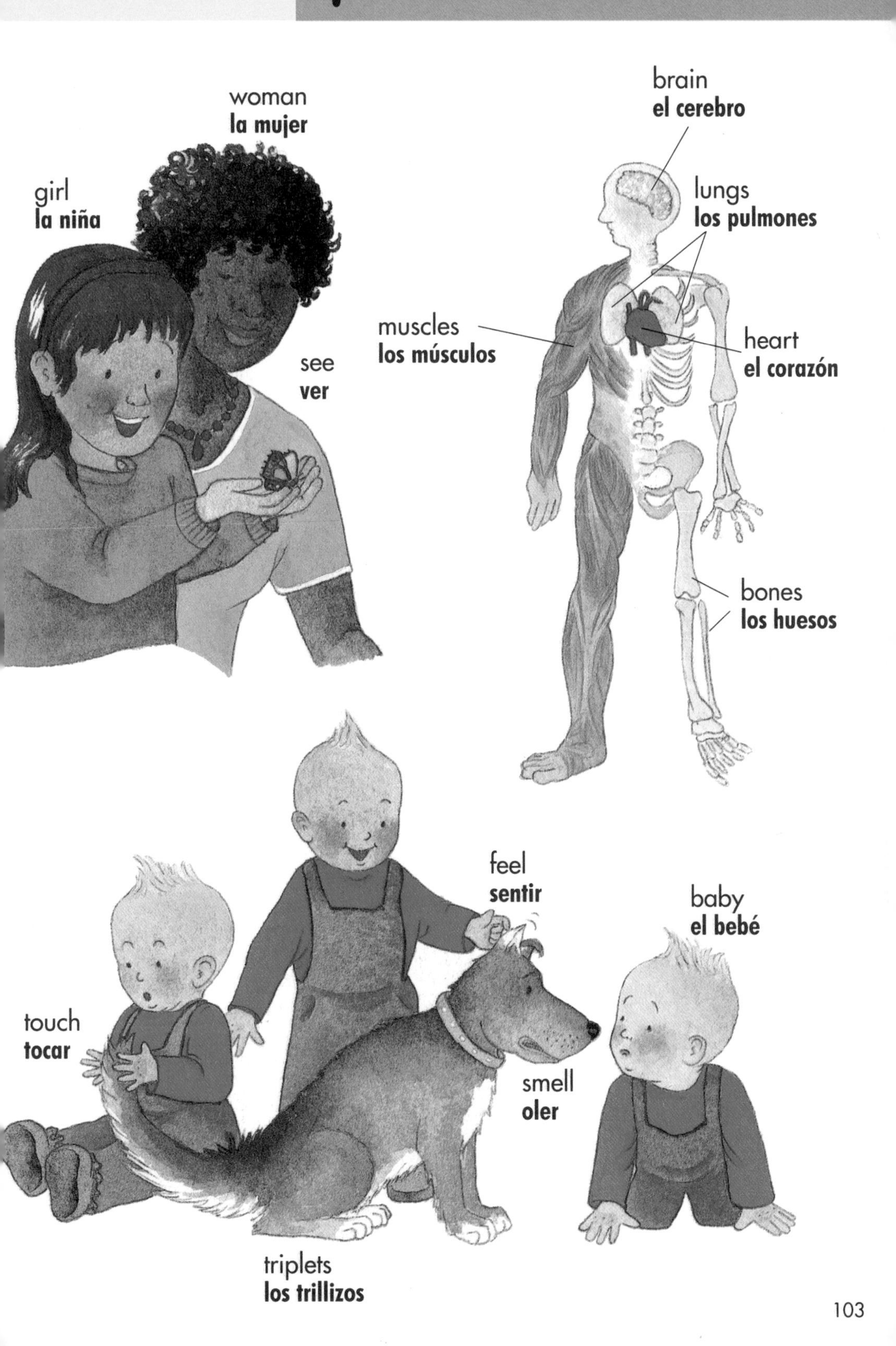

clothes

dress
el vestido

jumper
el jersey

hat
el gorra

knickers
las bragas

dressing gown
la bata

trousers
el pantalón

anorak
el anorak

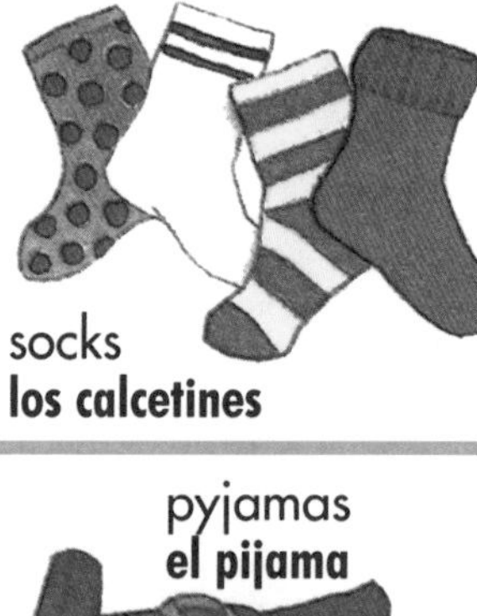

socks
los calcetines

blouse
la blusa

skirt
la falda

pyjamas
el pijama

petticoat
la combinación

leggings
los leotardos

coat
el abrigo

cap
la gorra

la ropa

orts
bermudas

raincoat
el impermeable

T-shirt
el niki

tights
las medias

vest
la camiseta

jacket
la chaqueta

scarf
la bufanda

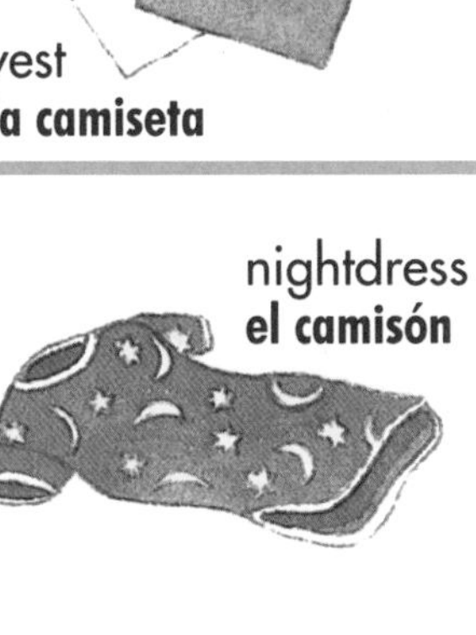

nightdress
el camisón

jeans
los vaqueros

underpants
los calzoncillos

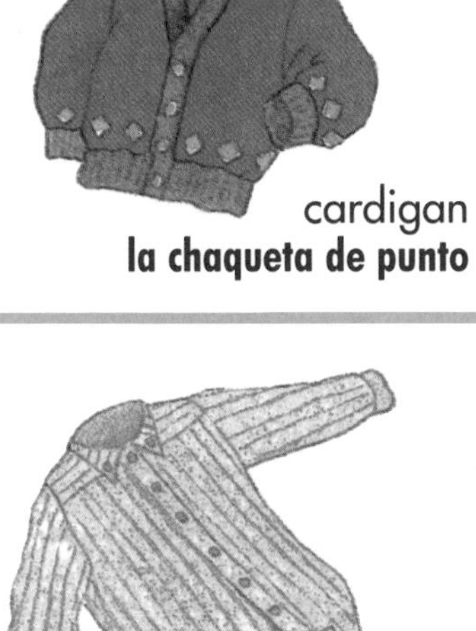

cardigan
la chaqueta de punto

rainhat
el gorro de lluvia

sweater
el suéter

shirt
la camisa

track suit
el chandal

more things to wear

laces
los cordones

slippers
las zapatillas

earrings
los pendientes

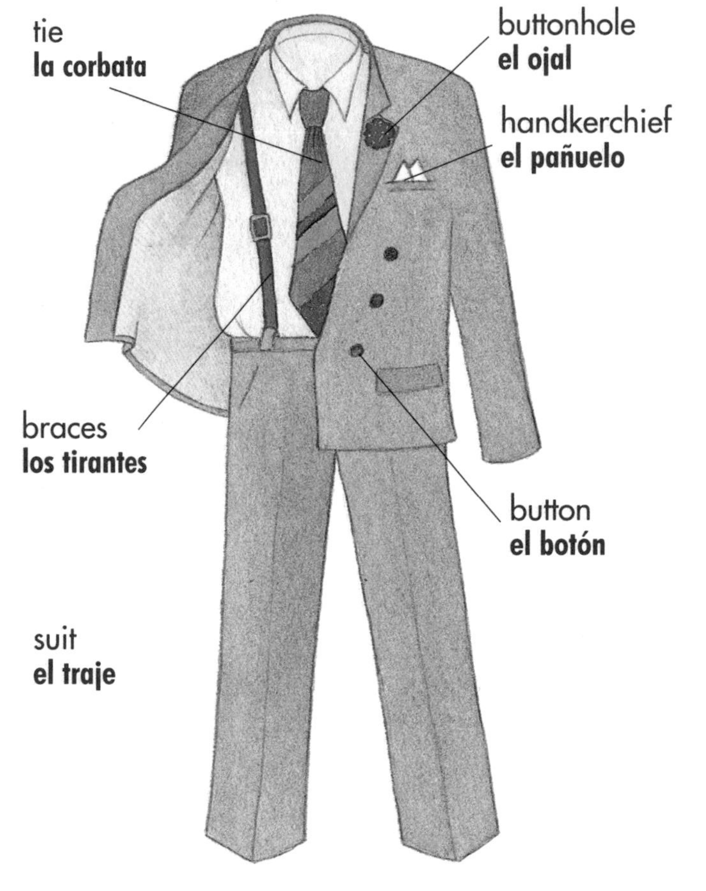

suit
el traje

necklace
el collar

rubber boots
las botas de agua

glasses
las gafas

shoes
los zapatos

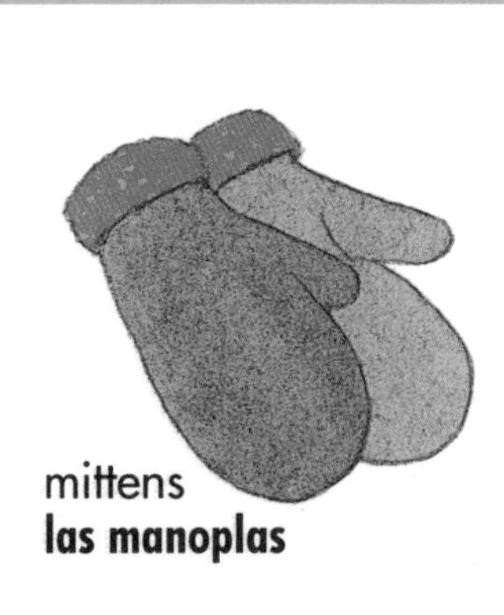

mittens
las manoplas

apron
el delantal

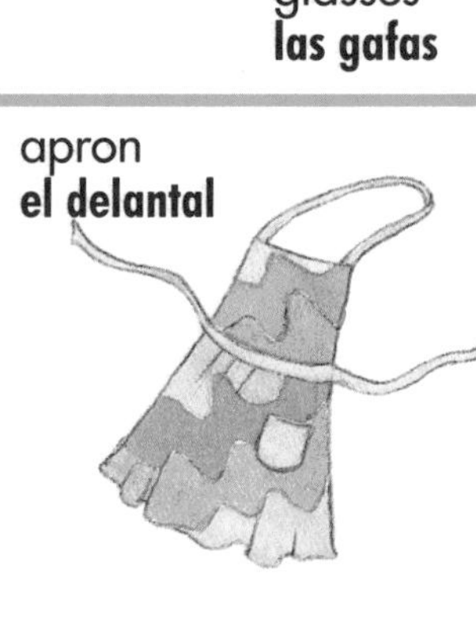

otras cosas más

overalls
el mono

oots
s botas

gloves
los guantes

ring
el anillo

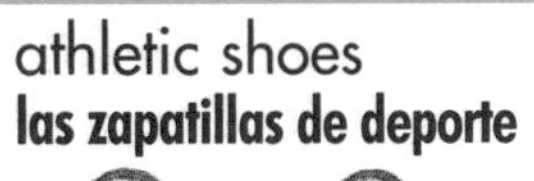

athletic shoes
las zapatillas de deporte

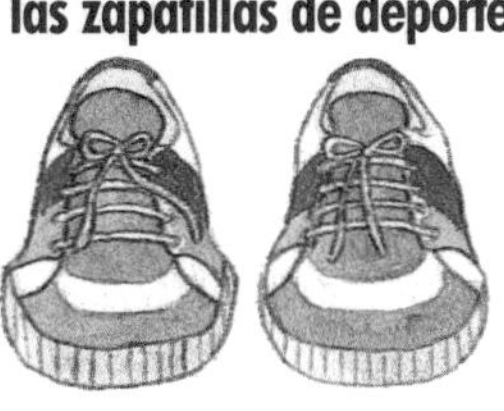

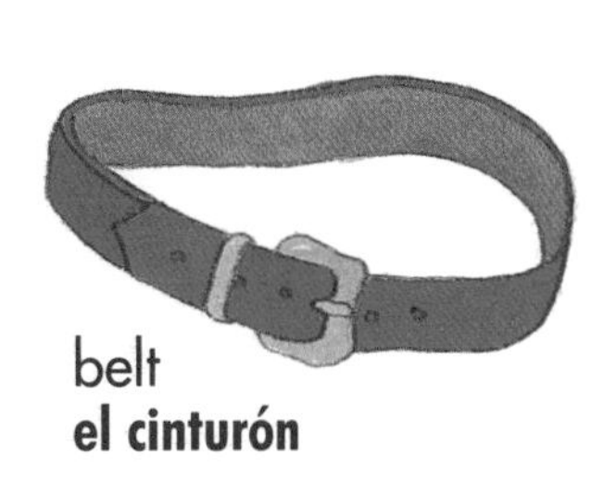

belt
el cinturón

buckle
la hebilla

tiara
la diadema

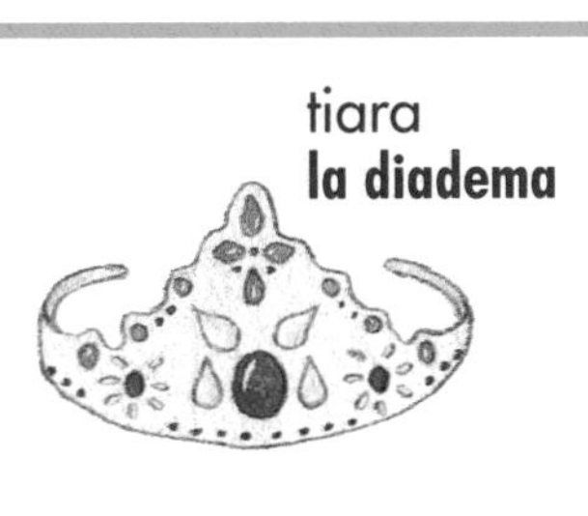

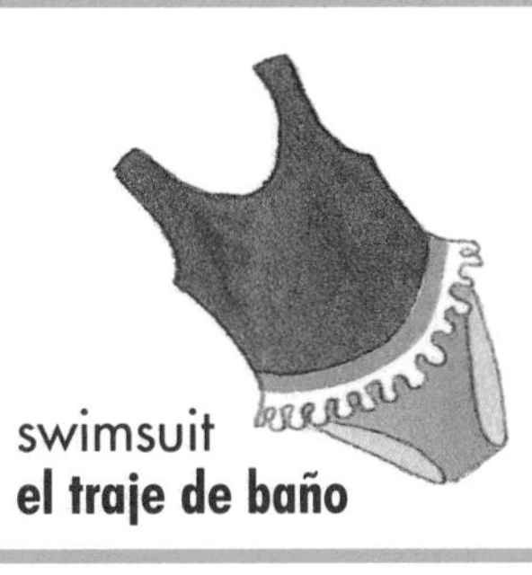

swimsuit
el traje de baño

ribbon
el lazo

hairband
la cinta

bracelet
la pulsera

brooch
el broche

sandals
las sandalias

trunks
el bañador

the bedroom

bedside table
la mesilla de noche

lamp
la lámpara

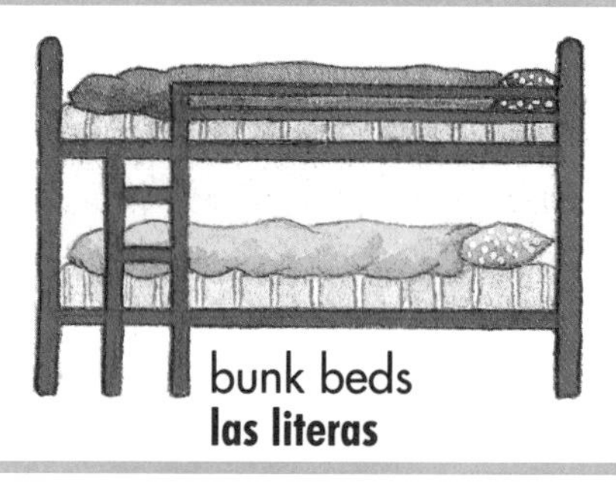

bunk beds
las literas

chest of drawers
la cómoda

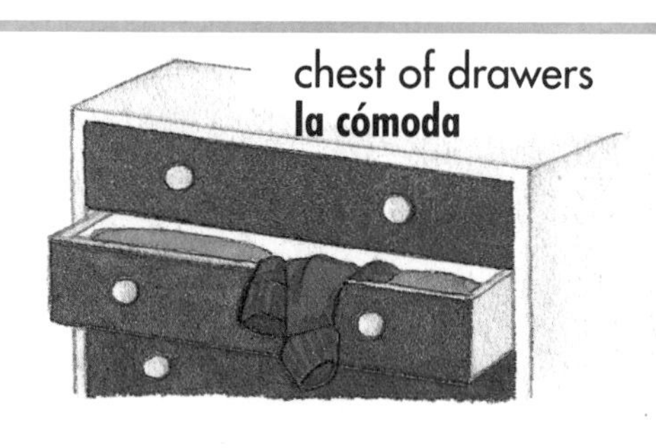

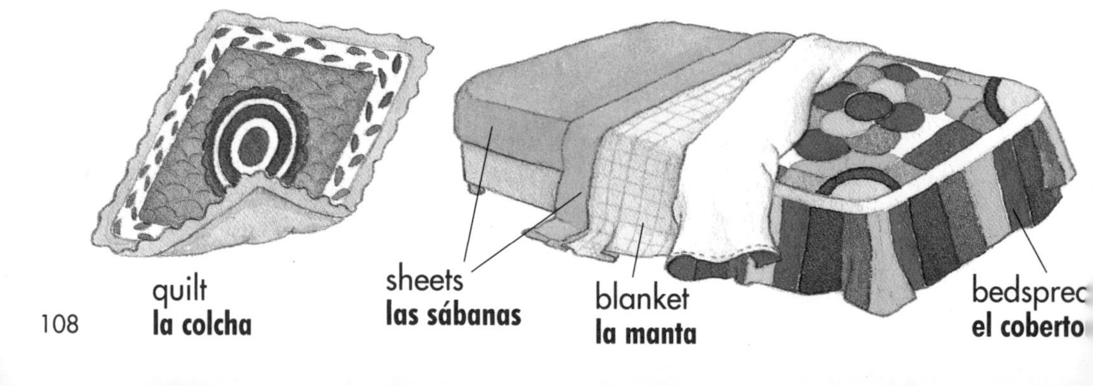

quilt
la colcha

sheets
las sábanas

blanket
la manta

bedspre
el coberto

el dormitorio

window
la ventana

curtains
las cortinas

arm clock
despertador

wardrobe
el ropero

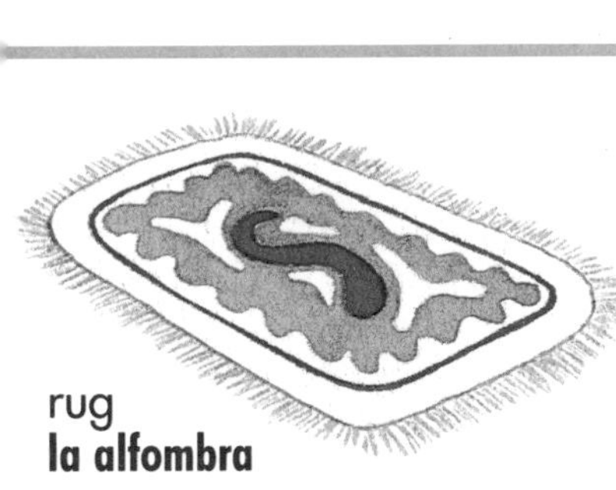

rug
la alfombra

bed
la cama

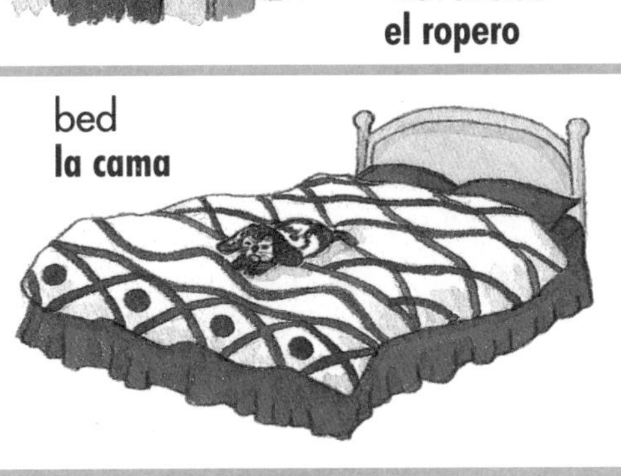

cot
la cuna

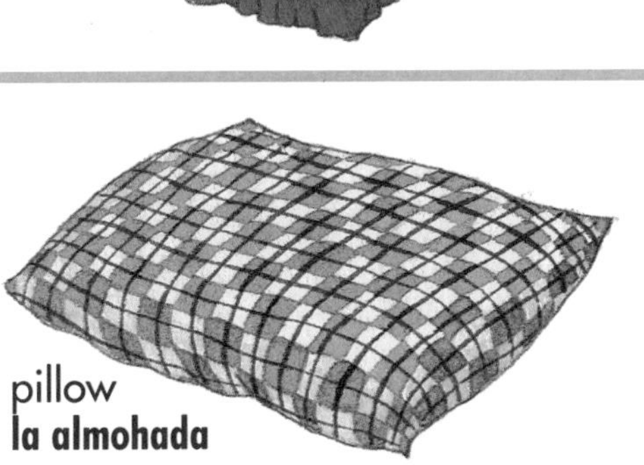

pillow
la almohada

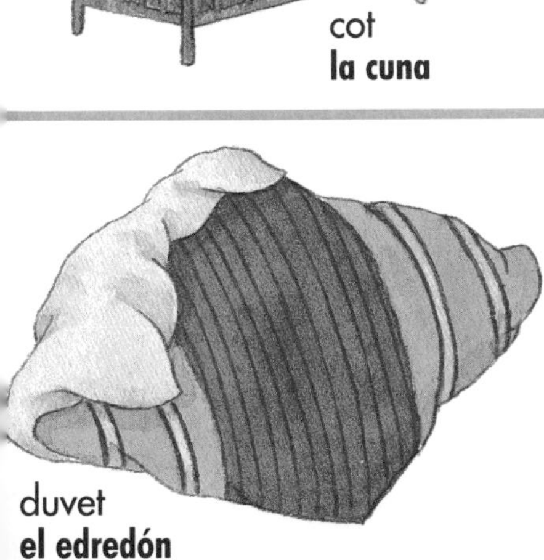

duvet
el edredón

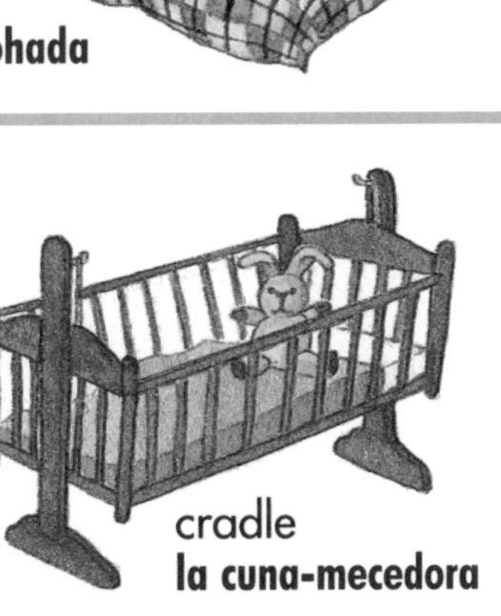

cradle
la cuna-mecedora

the bathroom

plug
el tapón

plug-hole
el desagüe

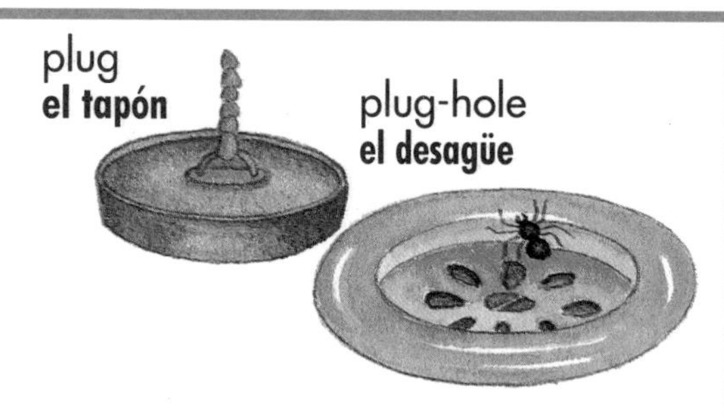

sponge
la esponja

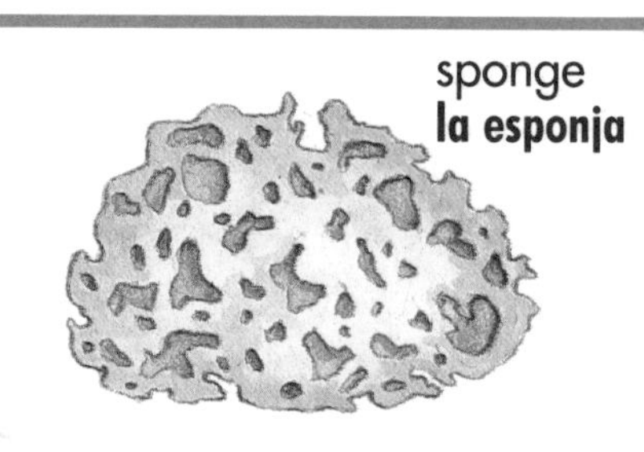

bath
la bañera

bubbles
las burbujas

toilet
el retrete

toilet paper
el papel higiénico

el cuarto de baño

wash-basin
el lavabo

towel
la toalla

shower-curtain
la cortina de la ducha

bidet
el bidé

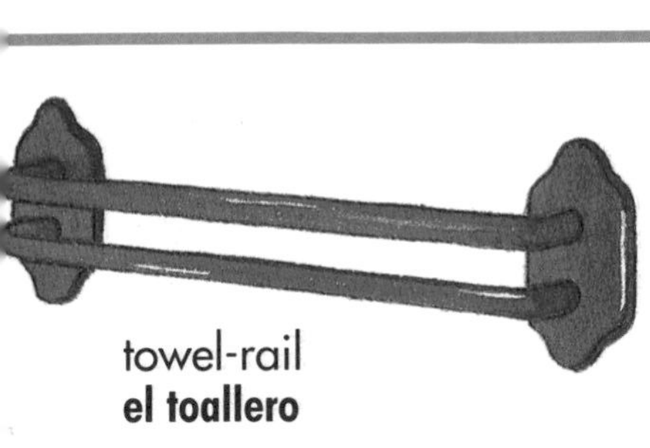

towel-rail
el toallero

soap
el jabón

soap-dish
la jabonera

othpaste
dentífrico

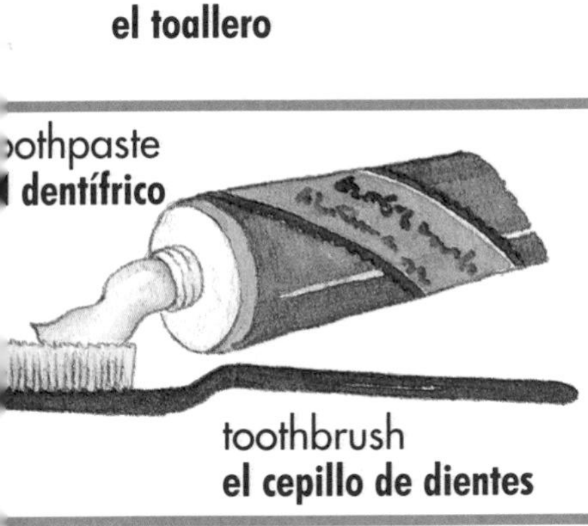

toothbrush
el cepillo de dientes

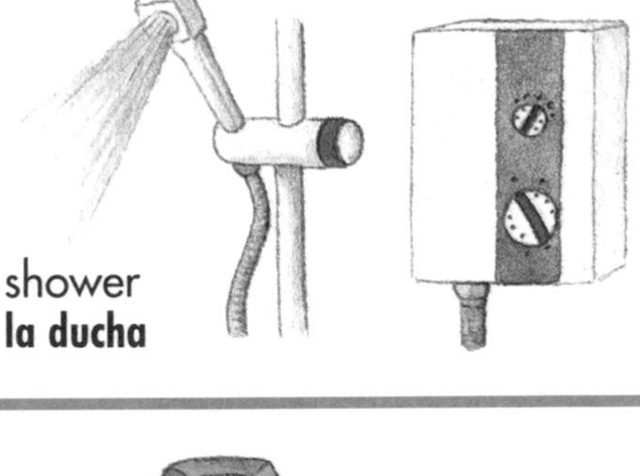

shower
la ducha

tap
el grifo

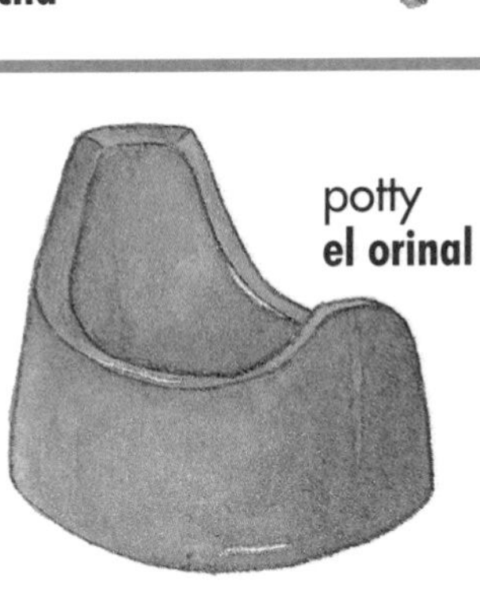

potty
el orinal

the kitchen

food-mixer
la batidora

kettle
el hervidor

coffee pot
la cafetera

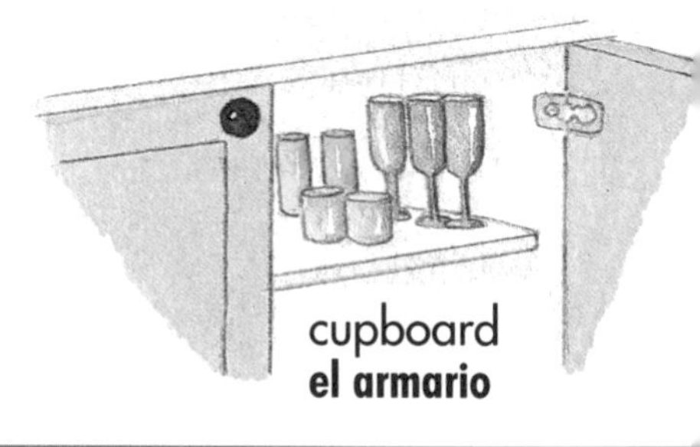

cupboard
el armario

cooker
la cocina

oven
el horno

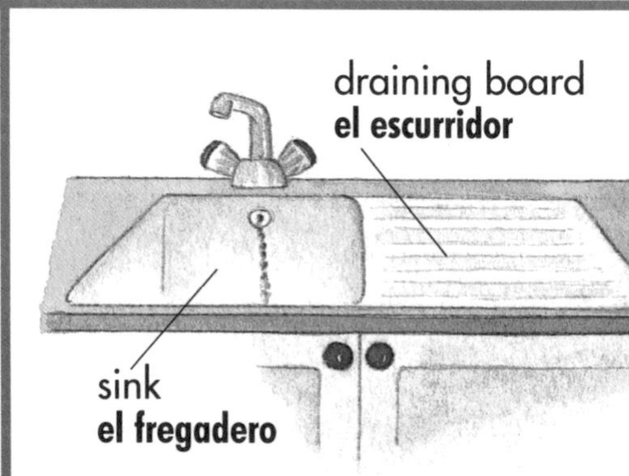

draining board
el escurridor

sink
el fregadero

teapot
la tetera

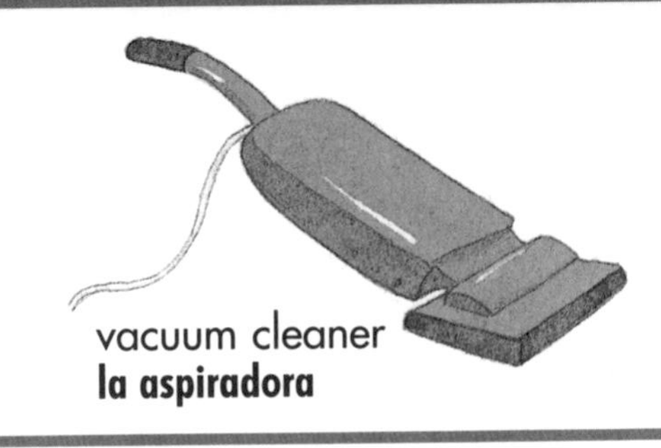

vacuum cleaner
la aspiradora

iron
la plancha

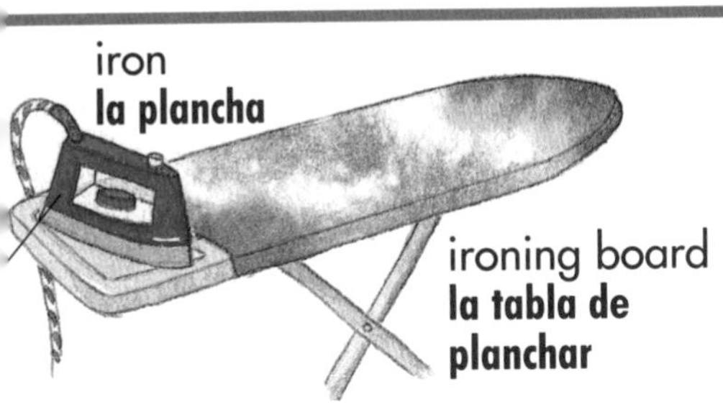

ironing board
la tabla de planchar

washing machine
la lavadora

ish washer
lavaplatos

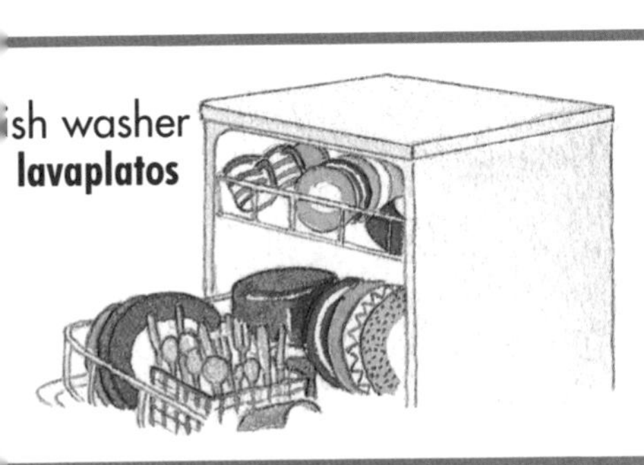

switch
el interruptor

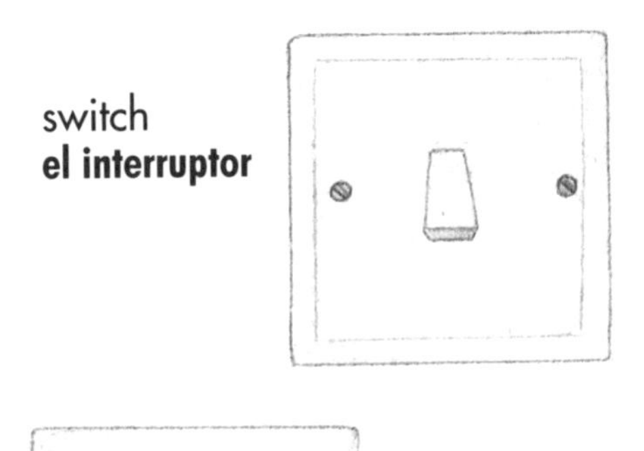

socket
la toma de corriente

refrigerator/fridge
la nevera

freezer
el congelador

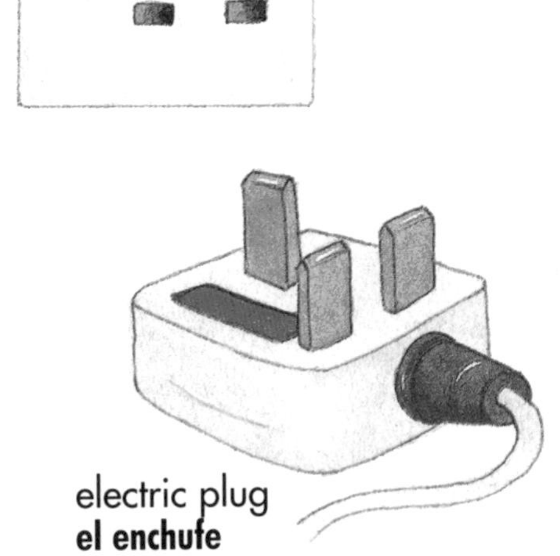

electric plug
el enchufe

the living-room

books
los libros

book-ends
el sujeta libros

remote control
el mando a distancia

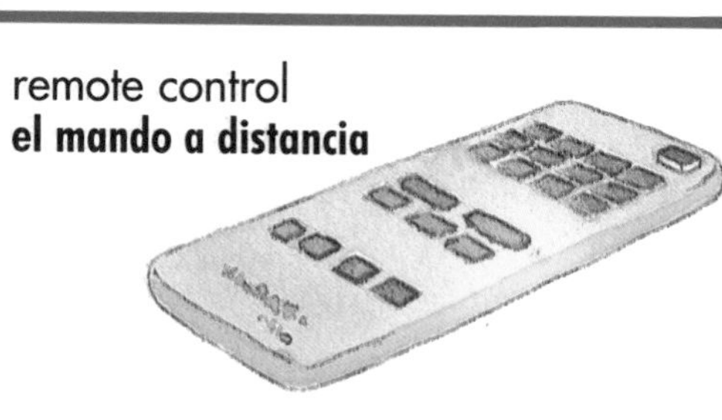

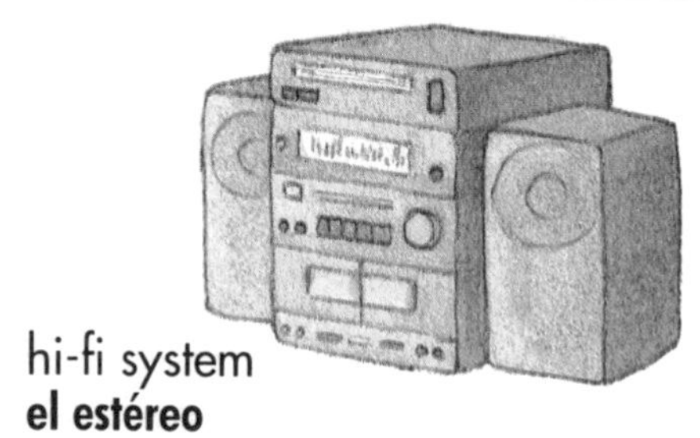

hi-fi system
el estéreo

vase

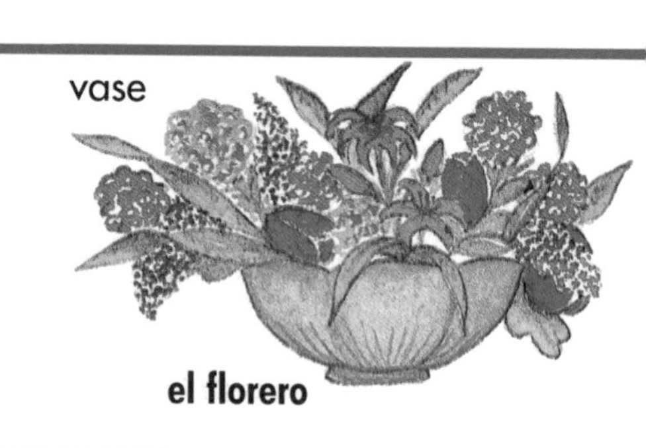

el florero

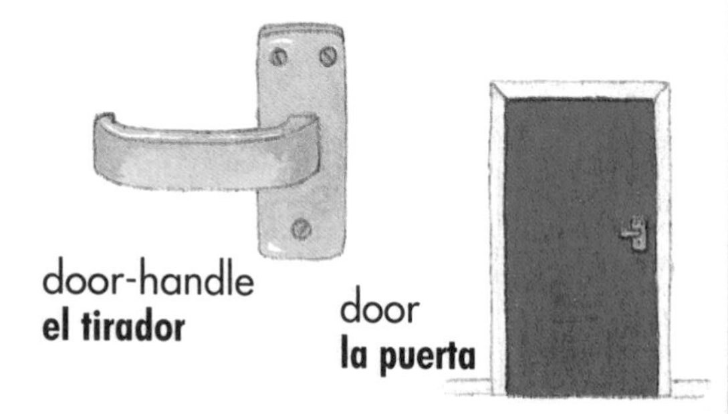

door-handle
el tirador

door
la puerta

gas fire
la estufa

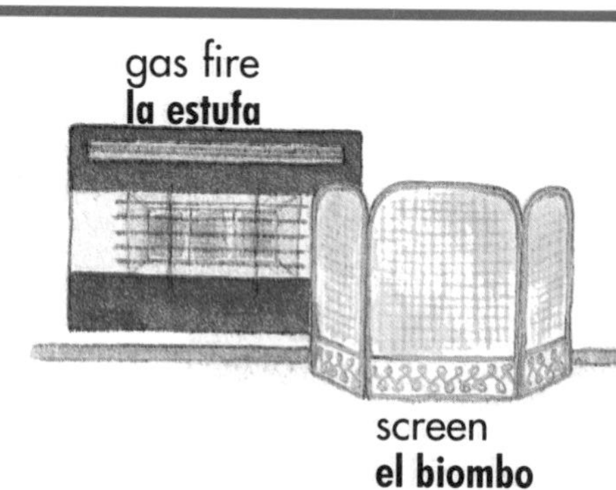

screen
el biombo

el salón

painting
el cuadro

magazine rack
el revistero

newspapers
los periódicos

magazines
las revistas

comics
los tebeos

telephone/phone
el teléfono

video recorder
el reproductor de vídeo

ideo cassette
l videocasete

television set/TV
la televisión

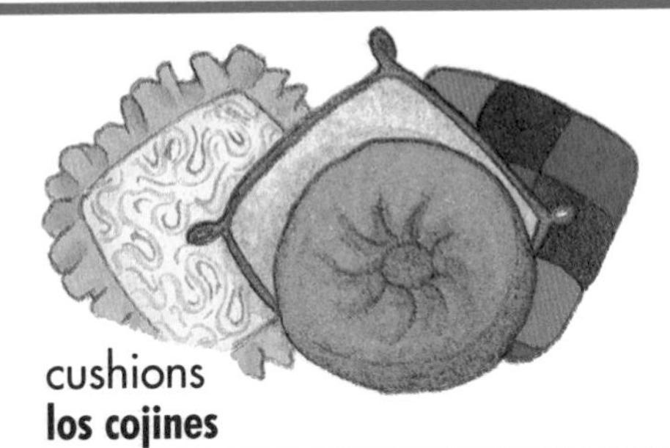

cushions
los cojines

photographs
las fotografías

mantlepiece
la repisa

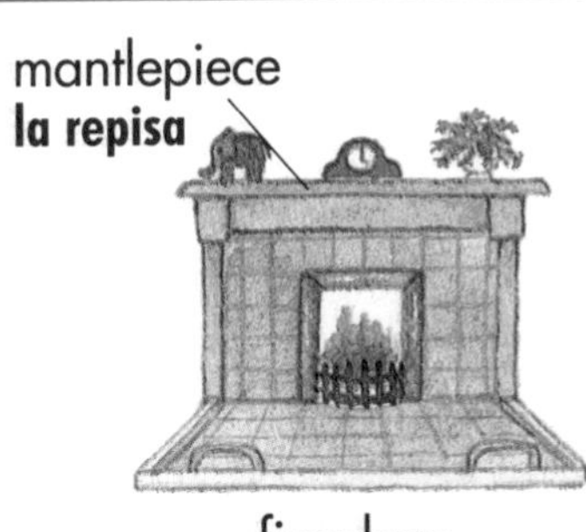

fireplace
la chimenea

radio
la radio

the dining room

table-cloth

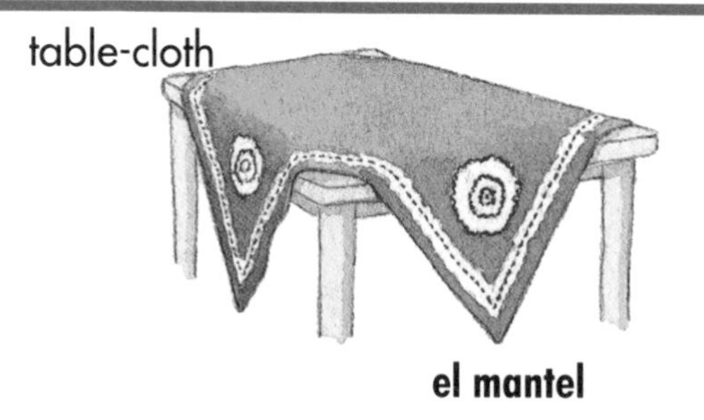

el mantel

plates
los platos

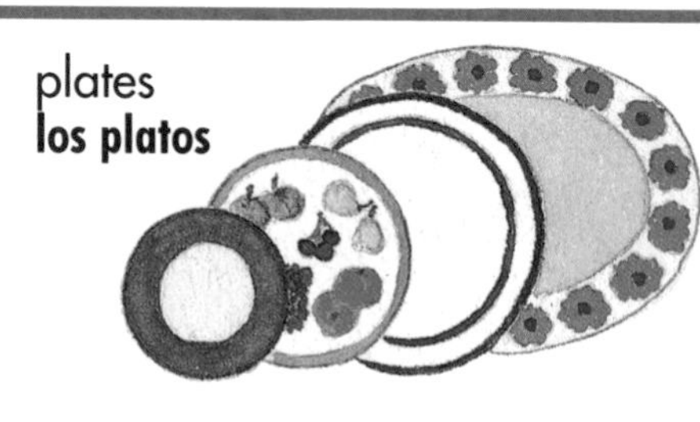

cup
la taza

saucer
el platillo

teaspoon
la cucharilla

oil
el aceite

vinegar
el vinagre

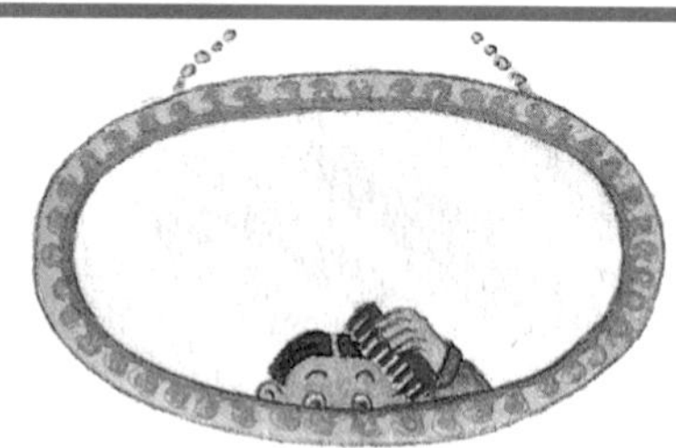

mirror
el espejo

el comedor

apkins
s servilletas

napkin ring
el servilletero

fork
el tenedor

table-mat
el salvamanteles

spoon
la cuchara

knife
el cuchillo

andles
las velas

candlestick
el candelabro

salt
la sal

pepper
la pimienta

dining-table
la mesa de comedor

chairs
las sillas

eggcups
las hueveras

jug
la jarra

tumbler
el vaso

fruit bowl
el frutero

wine-glasses
las copas de vino

bottle
la botella

the playroom

toys
los juguetes

rocking horse
el balacín

soft toys
los peluches

playpen

el corral

train set
el tren de juguete

building blocks
las construcciones

toy soldiers
los soldaditos

fort
el fuerte

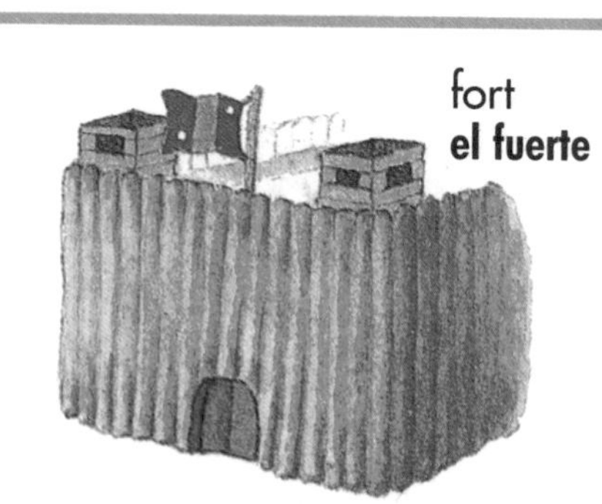

el cuarto de juegos

toy duck
el pato de juguete

toy boats
los barcos de juguete

spinning top
la peonza

teddy bear
el osito de peluche

toy cars
los coches de juguete

counting frame
el contador

skittles
los bolos

doll's house
la casa de muñecas

playhouse
la cabaña

doll's pram
el coche de muñecas

things in the house

las cosas de la casa

bookcase
la librería

table lamp
la lámpara

sideboard
el aparador

grandfather clock
el reloj de pared

carpet
la moqueta

coffee table
la mesa auxiliar

candelabra
el candelabro

dressing-table
la coqueta

breakfast
el desayuno

the garden

greenhouse
el invernadero
shed
el cobertizo
hedge
el seto
watering-can
la regadera
compost
el abono
dustb
el cub
vegetable plot
el huerto
rake
el rastillo
wheelbarrow
la carretilla
garden fork
la horca
spade
la pala
sprinkler
el aspersor
hoe
el azadón
flowers
las flores

el jardín

chimney
la chimenea
TV aerial
la antena de TV
roof
el tejado
nfire
hoguera
drain-pipe
el canalón
porch
la entrada
ladder
la escalera
barrel
el bidón
front
door
la puerta
principal
window box
la jardinera
roof tiles
las tejas
rass lawn
l césped
path
el sendero
lawnmower
la segadora
arden hose
manguera

in the workshop

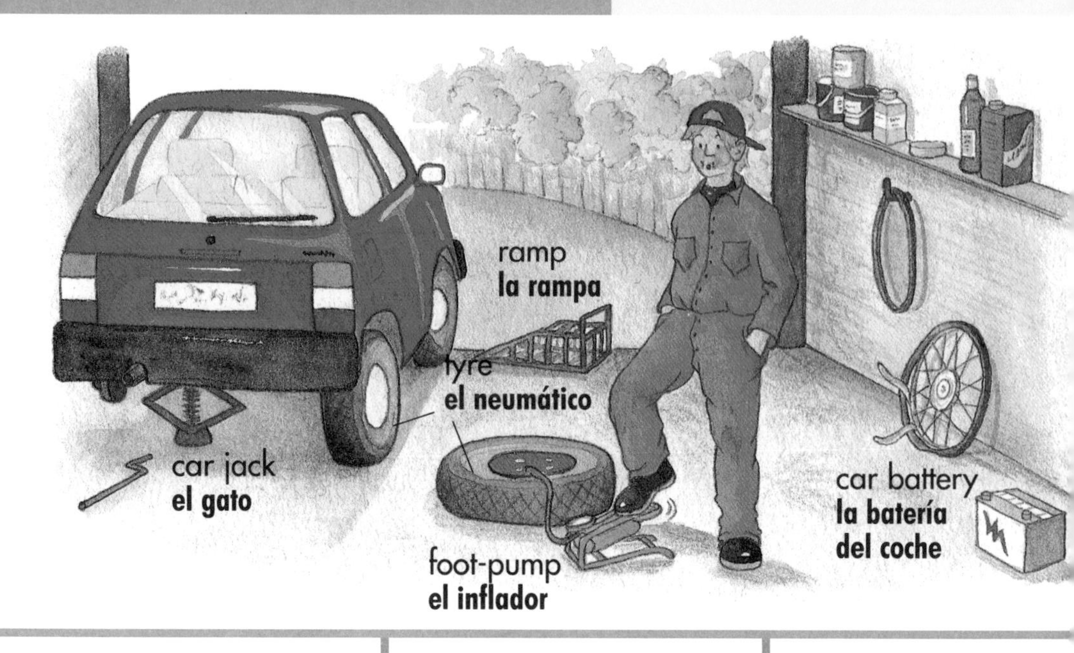

paint-brushes
los pinceles/las brochas

saw
la sierra

sandpaper
el papel de lija

paint pots
los botes de pintura

nuts and bolts

los tornillos/las tuercas

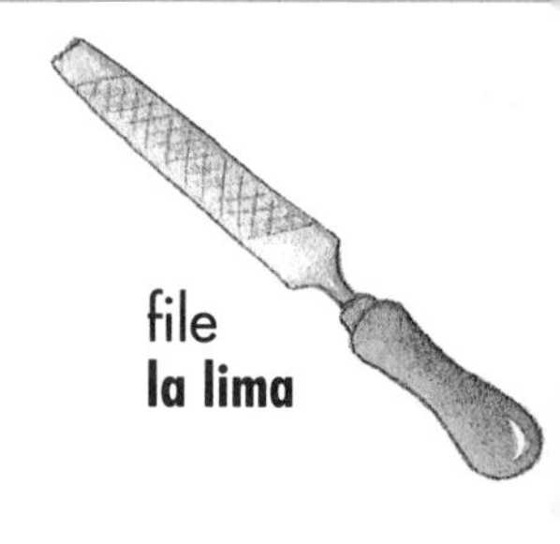

file
la lima

spanners
las llaves inglesas

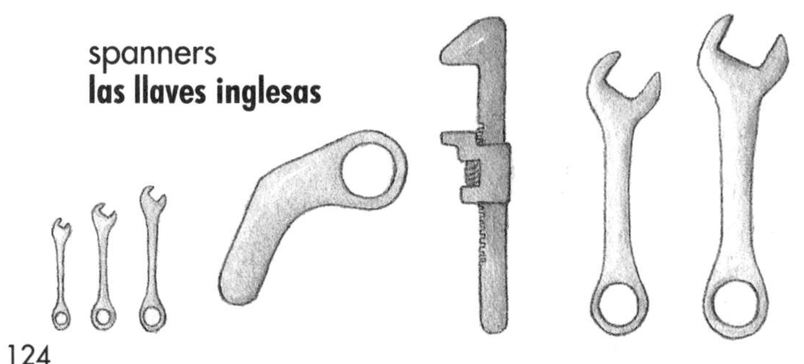

pickaxe
el pico

en el taller

oilcan
la aceitera

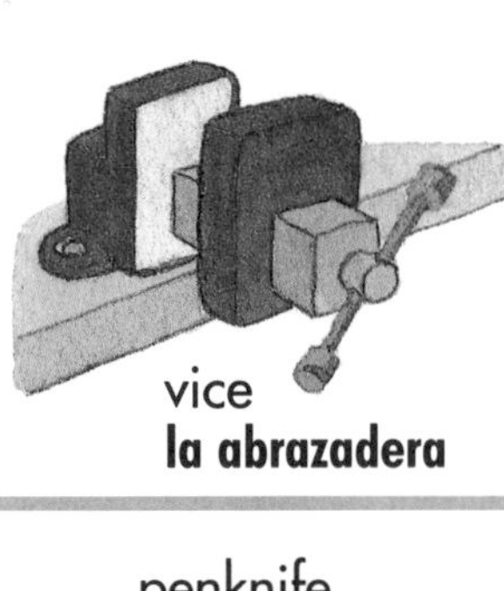
vice
la abrazadera

axe
el hacha

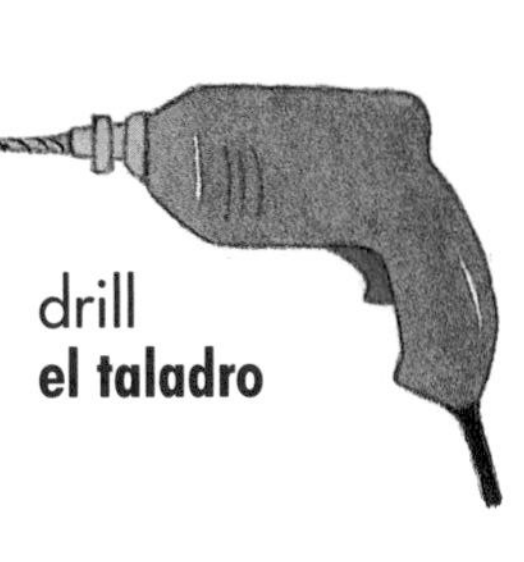
drill
el taladro

penknife
la navaja
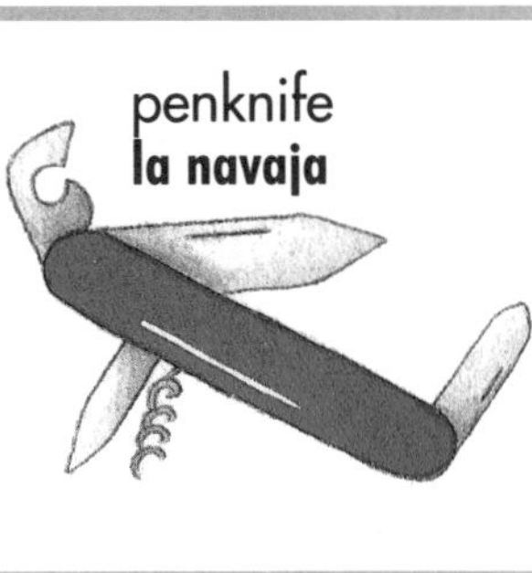

wooden plank
la tabla de madera

screwdriver
el destornillador

screws
los tornillos

bucket
el cubo

lbox
aja de herramientas

plane
el cepillo
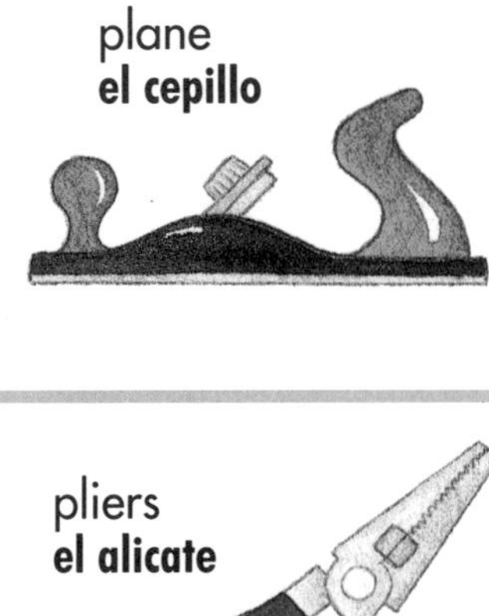

hammer
el martillo

tape-measure
el metro

pliers
el alicate

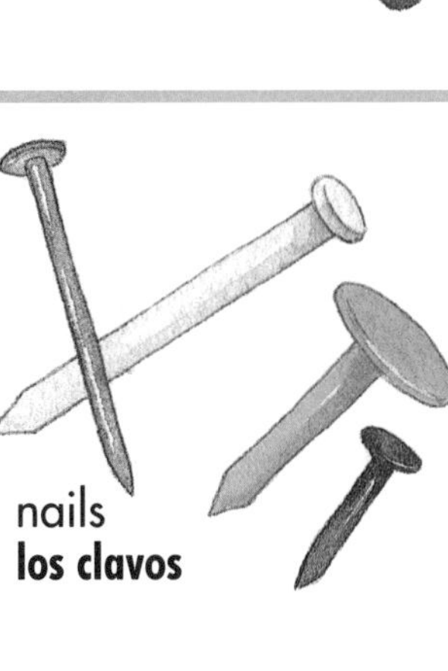
nails
los clavos

friendly pets

silkworm
el gusano de seda
stick-insect
el insecto palo
budgie
el periquito
canary
el canario
lizard
la lagartija
igeon
a paloma
mynah bird
el mirlo
lovebirds
los periquitos
orse
l caballo
birdcage
la jaula
parrot
el loro
Shetland pony
el póney
foal
el potro

out in the street

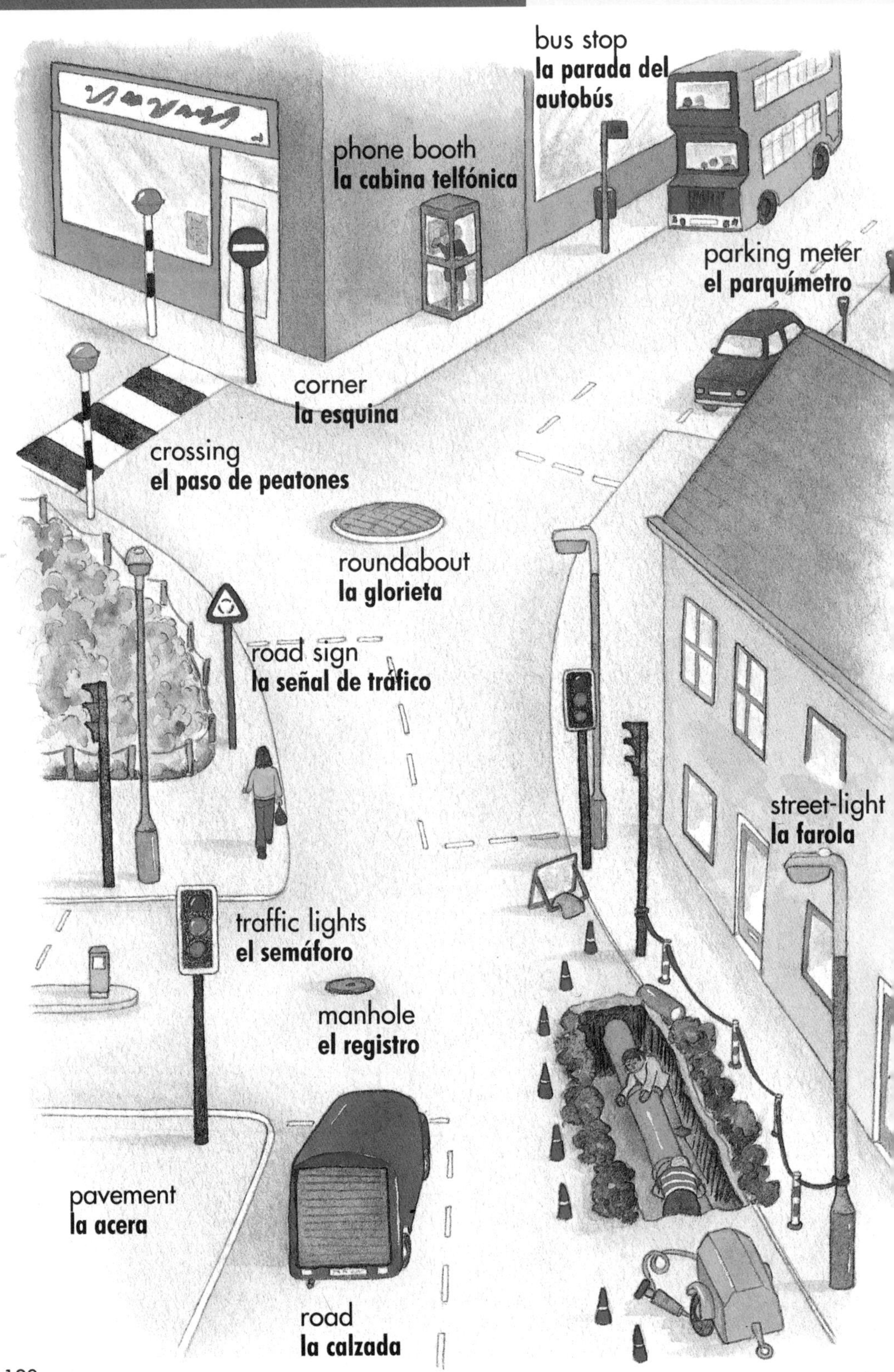

bicycle
la bicicleta

bus
el autobús

fire-engine
el coche de bomberos

taxi
el taxi

car
el coche

road-roller
la apisonadora

lorry
el camión

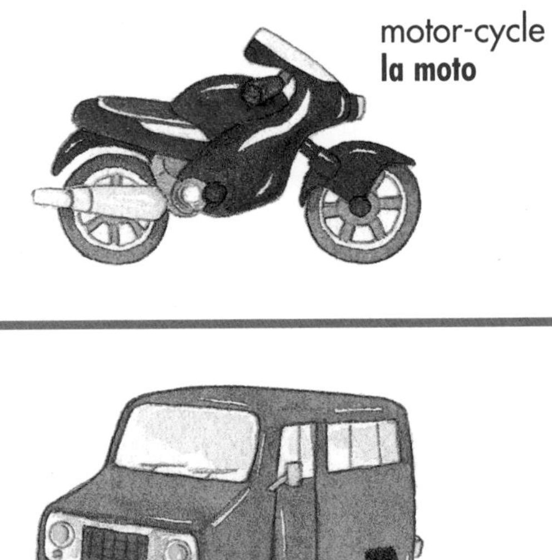

motor-cycle
la moto

police car
el coche de policía

van
la furgoneta

in town

church
la iglesia

restaurant
el restaurante

market
el mercado

houses
las casas

hotel
el hotel

skyscraper
el rascacielos

post office
Correos

shop
la tiend

car park
el aparcamiento

theatre
el teatro

en la ciudad

bank
el banco

factory
la fábrica

ub
bar

park
el parque

school
la escuela

supermarket
el supermercado

library
la biblioteca

cinema
el cine

police station
la comisaría

office block
un edificio de oficinas

in the supermarket

heese
queso
butter
la mantequilla
milk
la leche
credit card
la tarjeta
de crédito
money
el dinero
the bill (receipt)
la cuenta
(el recibo)
till
la caja
check-out desk
el mostrador
handbag
el bolso
purse
el monedero
shopping bag
la bolsa de compras

fruit las frutas

orange
la naranja

grapes
las uvas

banana
el plátano

cherries
las cerezas

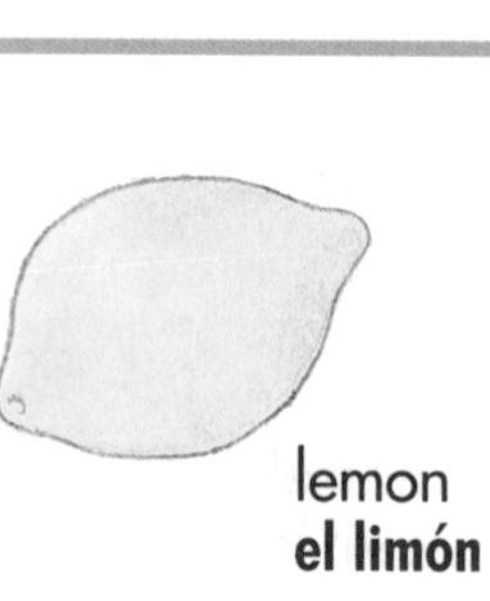

lemon
el limón

pineapple
la piña

apple
la manzana

redcurrants
las grosellas rojas

plums
las ciruelas

gooseberries
las grosellas silvestres

grapefruit
el pomelo

pear
la pera

blackberries
las moras

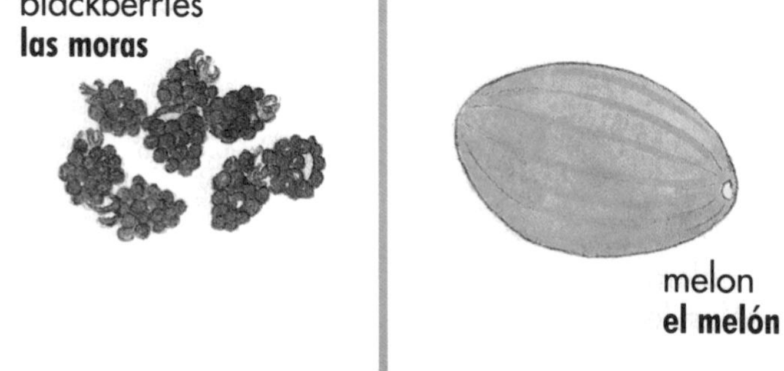

melon
el melón

strawberries
las fresas

cabbage

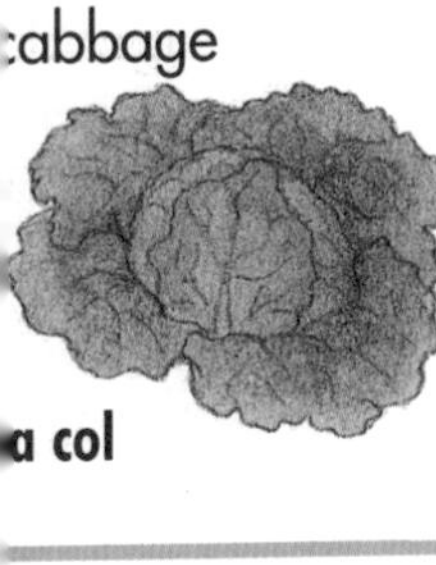

a col

tomatoes
los tomates

cucumber
el pepino

potatoes
las patatas

pumpkin
la calabaza

peas
los guisantes

corn on the cob
la mazorca

carrots
las zanahorias

onions
las cebollas

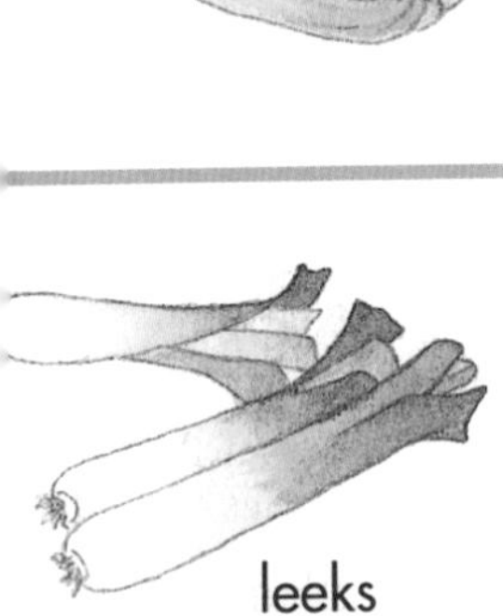

leeks
las puerros

green beans
las judías verdes

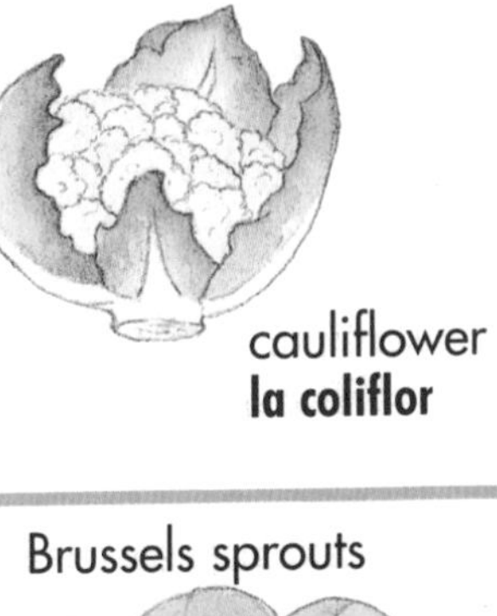

cauliflower
la coliflor

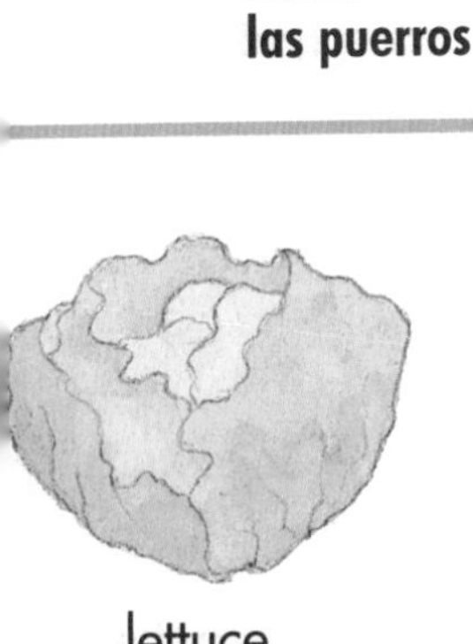

lettuce
la lechuga

mushrooms
los champiñones

Brussels sprouts

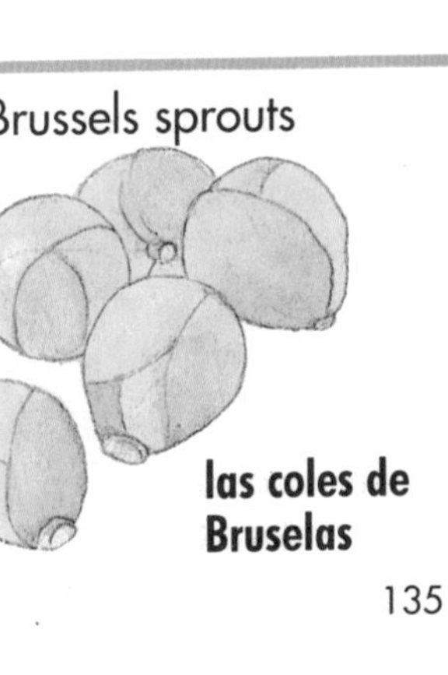

las coles de Bruselas

more things to eat and drink

otras cosas para comer

ice-cream
el helado

buns
los pasteles

sausage roll
la empanadilla

nuts
las nueces

bag of sugar
un paquete de azúcar

chips
las patatas fritas

tomato sauce
la salsa de tomate

bar of chocolate
la tableta de chocolate

salad
la ensalada

apple pie
la tarta de manzana

can of soup
una lata de sopa

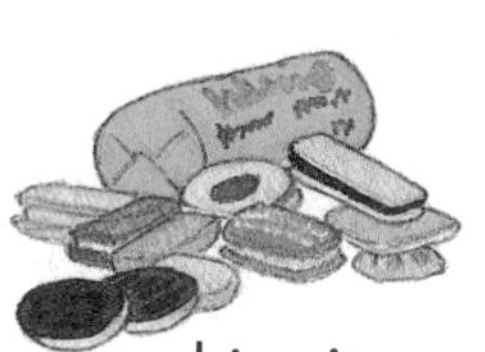

biscuits
las galletas

sandwich
el emparedado

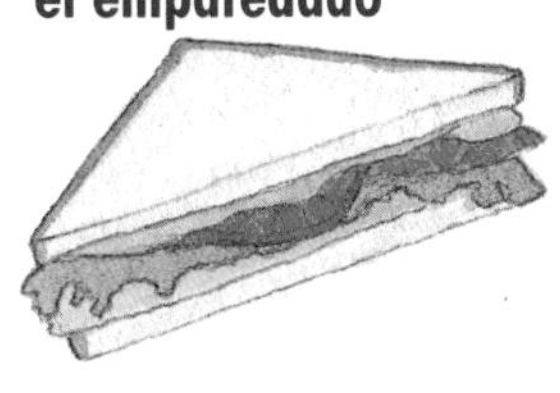

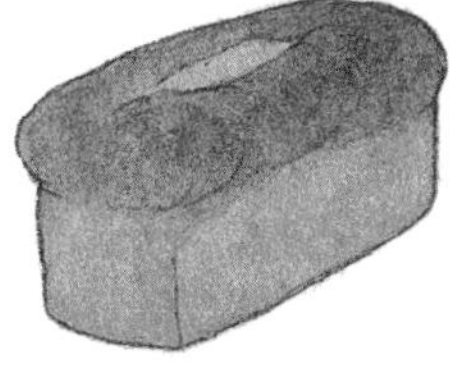

loaf of bread
el pan de molde

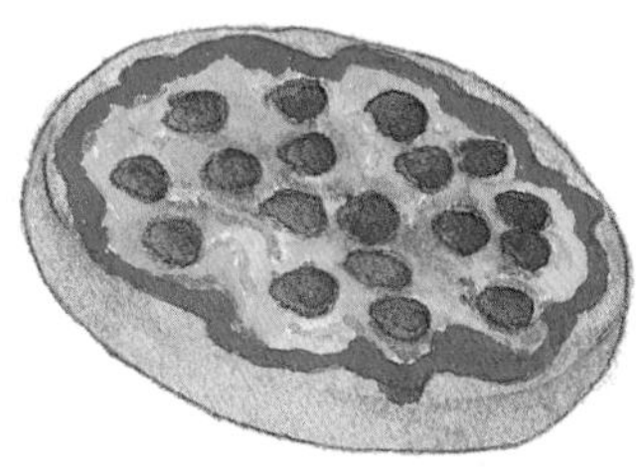

pizza
la pizza

fun in the park

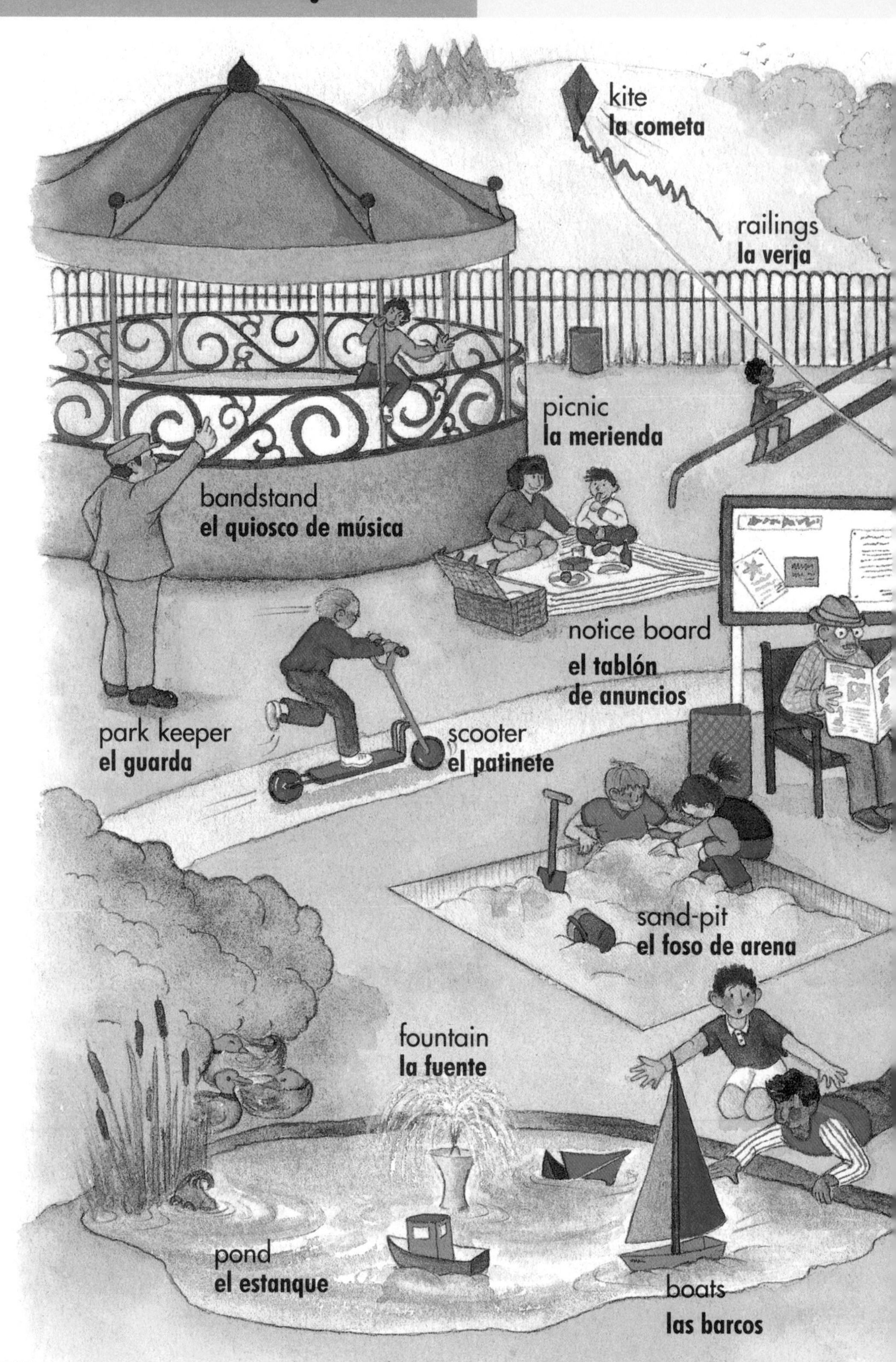

swings
los columpios
slide
el tobogán
see-saw
el balancín
roundabout
el tiovivo
skipping rope
la cuerda
path
el camino
helmet
el casco
drinking fountain
la fuente
roller skates
los patines
pads
las rodilleras
collar
el collar
dog muzzle
el bozal

people at work

actor
el actor

secretary
la secretaria

musician
el músico

gardener
el jardinero

decorator
el pintor

shop-keeper
el tendero

astronaut
el astronauta

diver
el submarinista

cook
el cocinero

singer
el cantante

dancer
la bailarina

hairdresser
la peluquera

artist
el artista

baker
el panadero

postman
el cartero

farmer
el granjero

carpenter
el carpintero

butcher
el carnicero

more people at work

otra gente trabajando

in the office

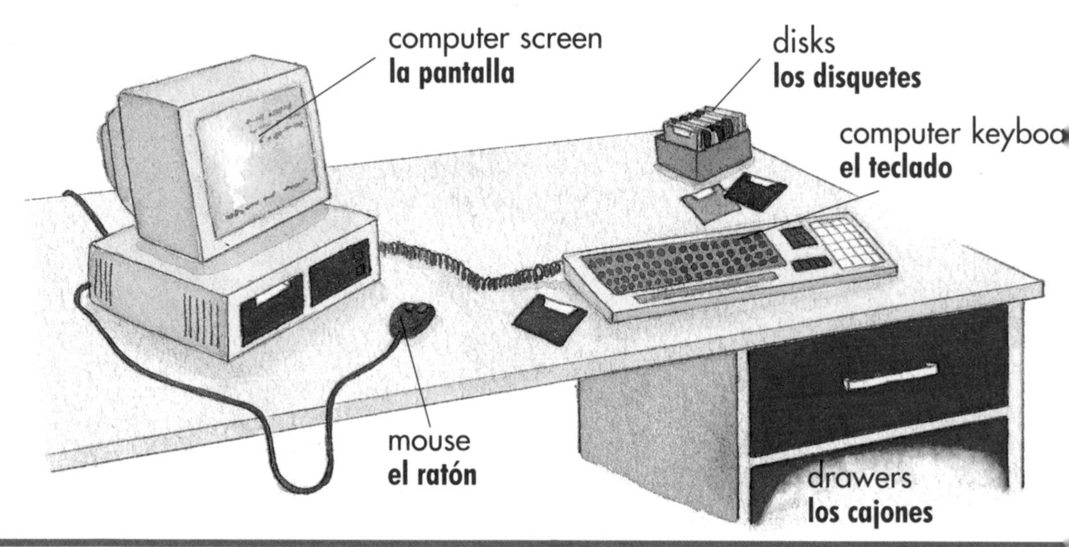

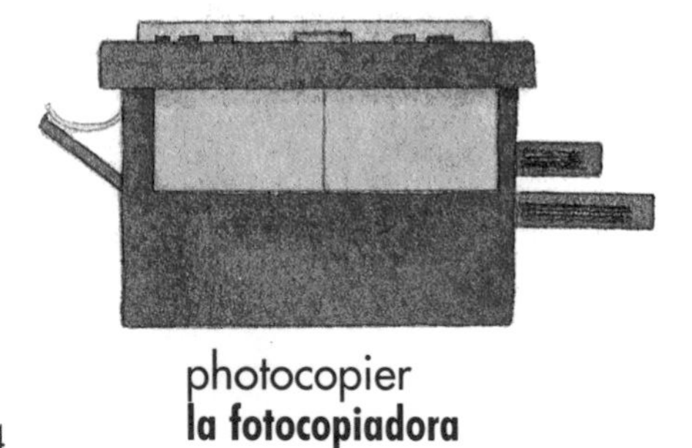

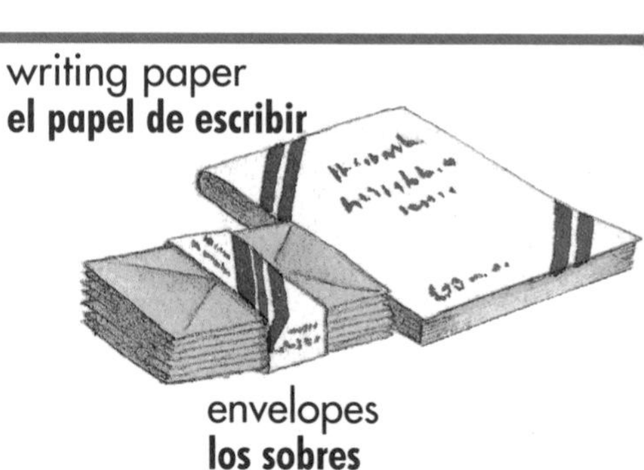

en la oficina

calendar
el calendario

filing cabinet
el archivador

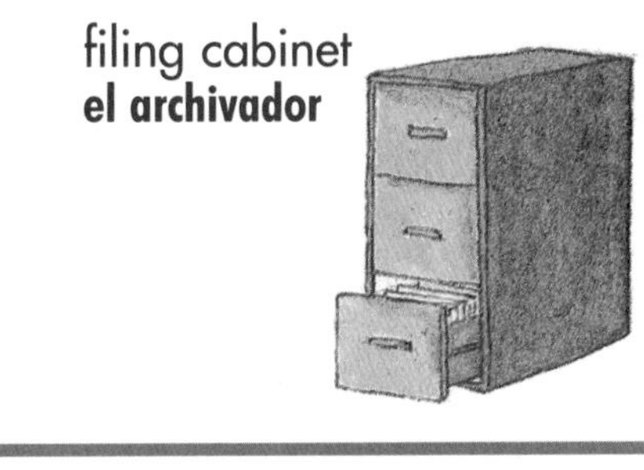

pencil
el lápiz

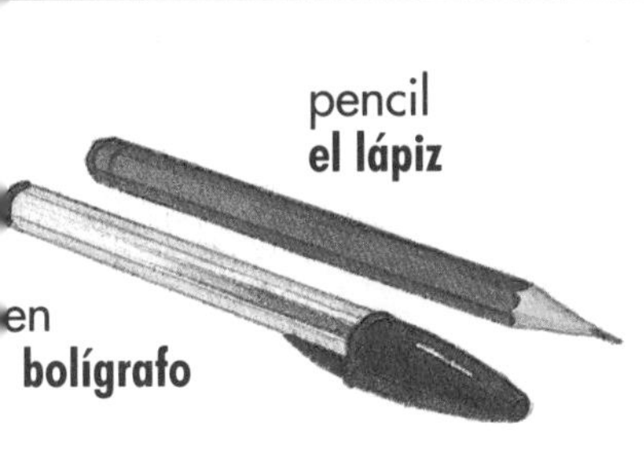

en
bolígrafo

pencil sharpener
el sacapuntas

rubber
la goma

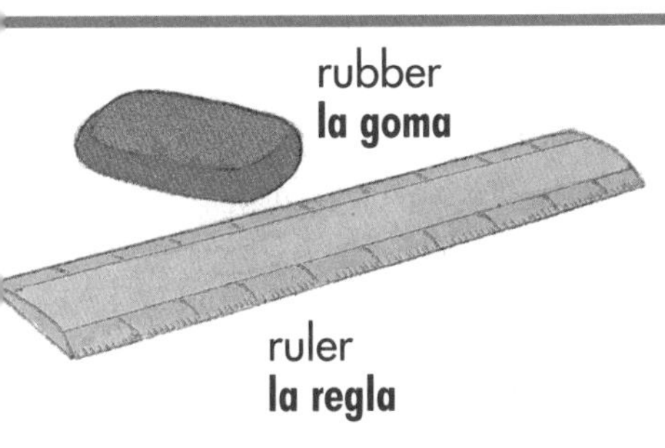

ruler
la regla

stapler
la grapadora

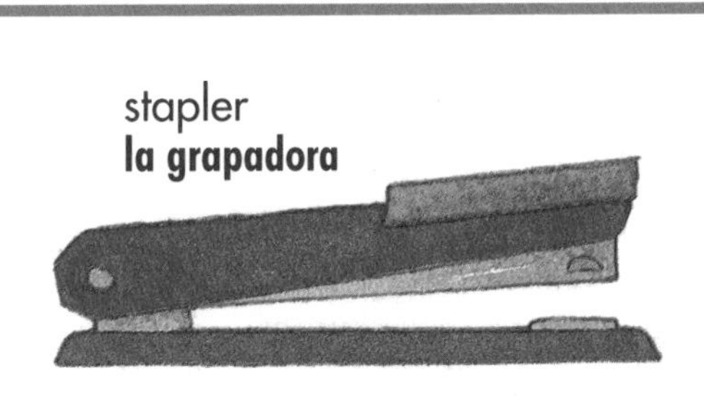

aperweight
pisapapeles

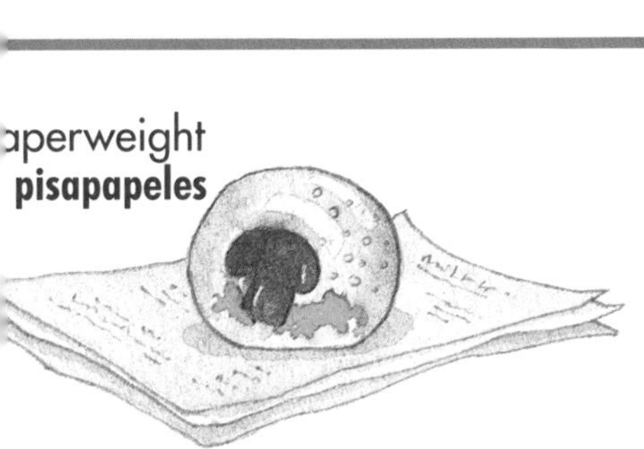

calculator
la calculadora

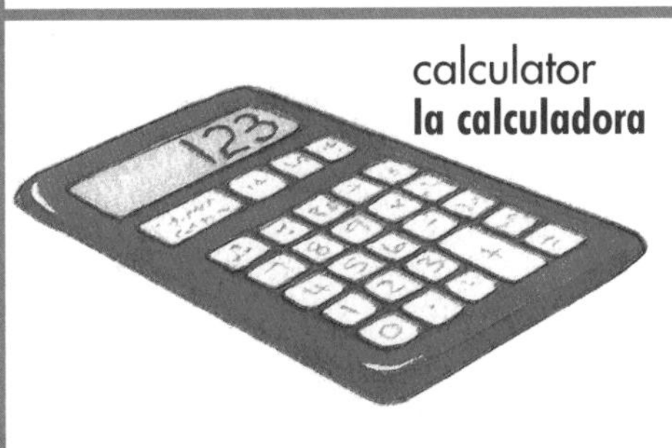

wastepaper bin
la papelara

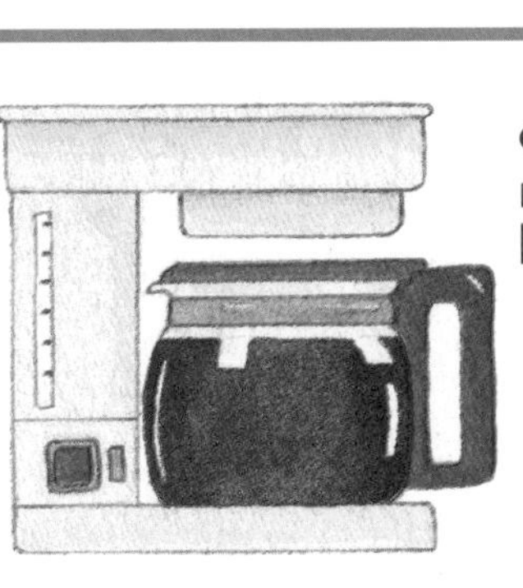

coffee
machine
la cafetera

at the garage

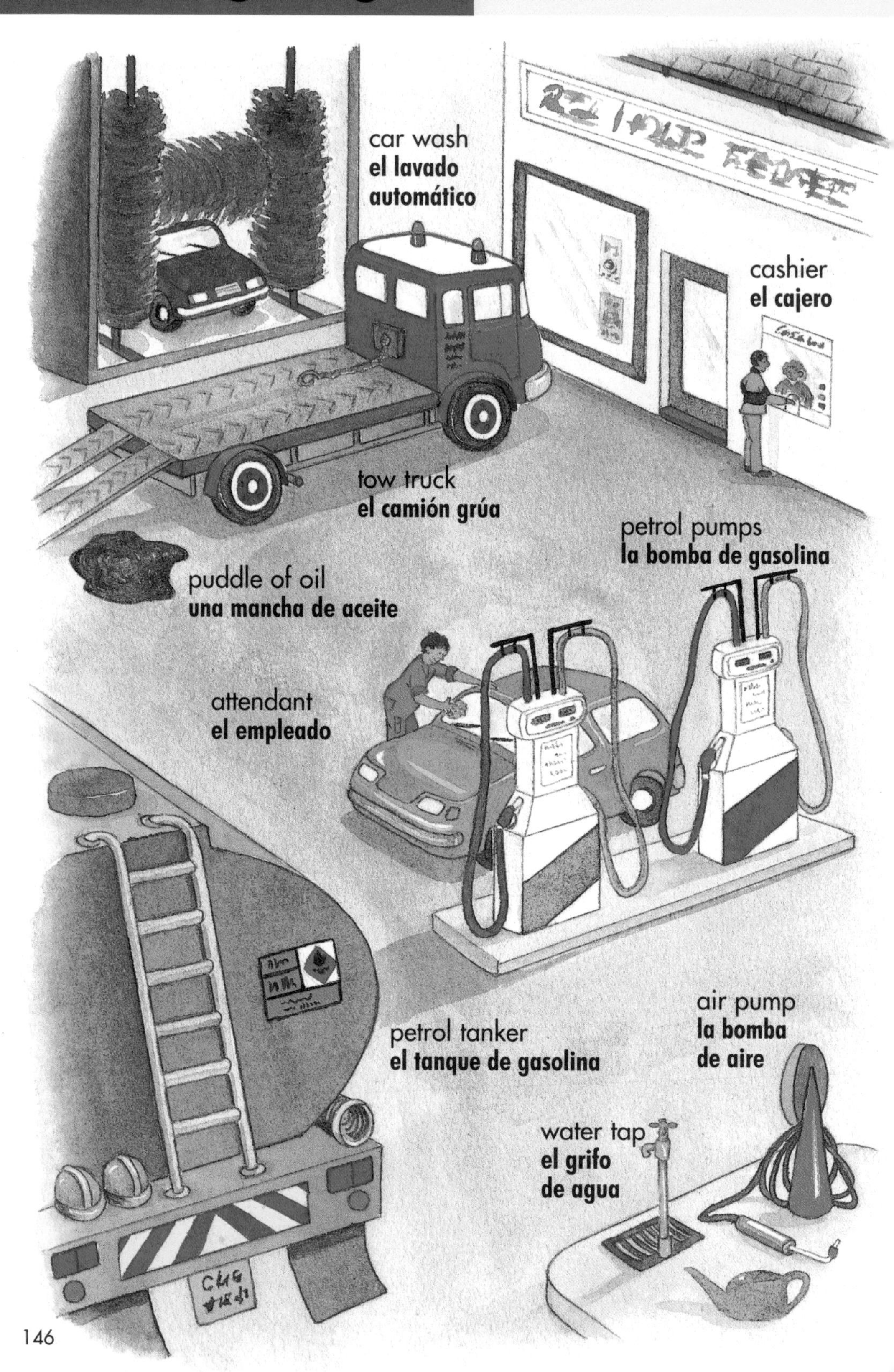

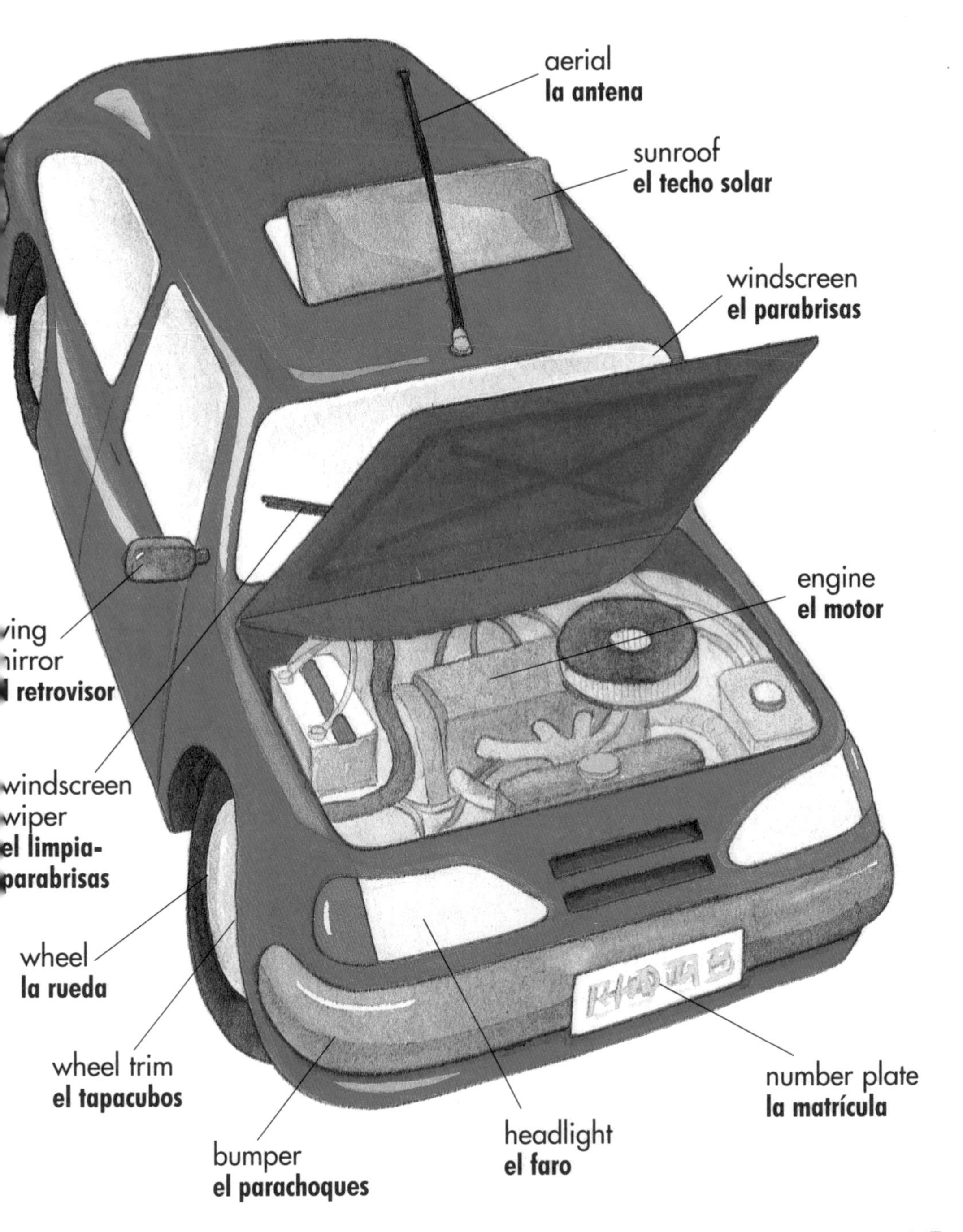
aerial
la antena
sunroof
el techo solar
windscreen
el parabrisas
engine
el motor
ing
irror
retrovisor
windscreen
wiper
el limpia-
parabrisas
wheel
la rueda
wheel trim
el tapacubos
bumper
el parachoques
headlight
el faro
number plate
la matrícula

at the doctor en la casa del médi

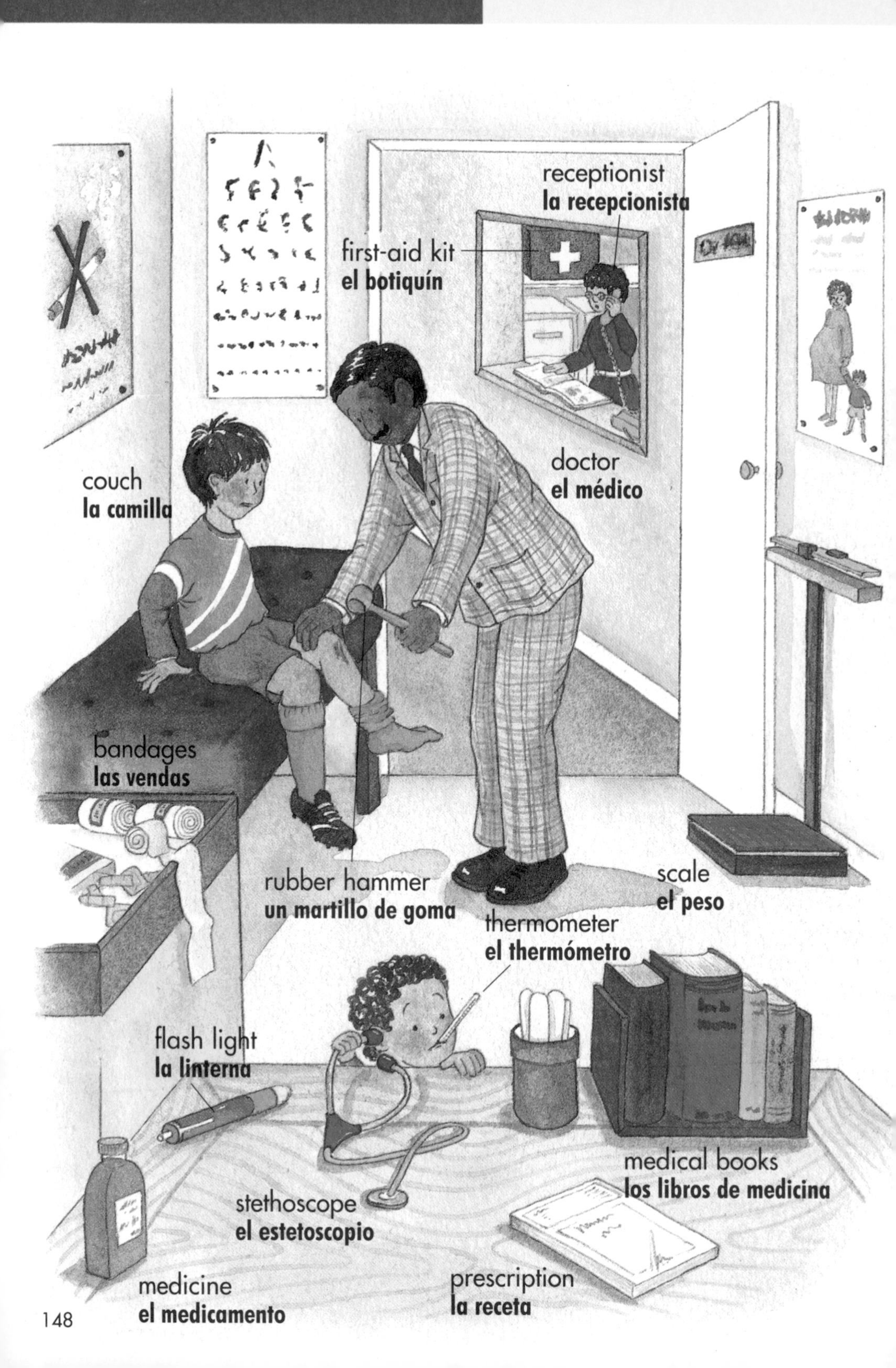

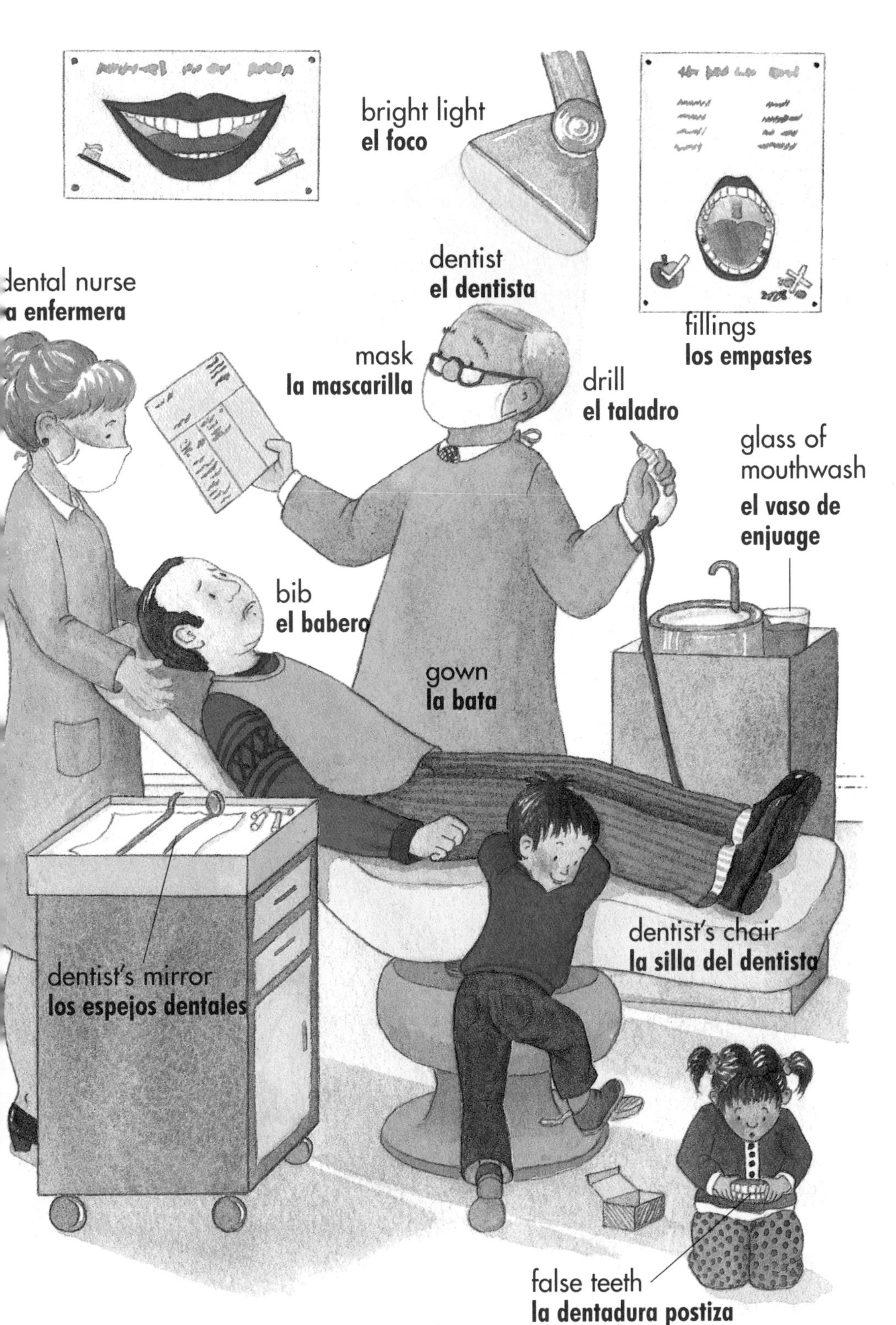
bright light
el foco
dentist
el dentista
dental nurse
a enfermera
fillings
los empastes
mask
la mascarilla
drill
el taladro
glass of mouthwash
el vaso de enjuage
bib
el babero
gown
la bata
dentist's chair
la silla del dentista
dentist's mirror
los espejos dentales
false teeth
la dentadura postiza

in hospital

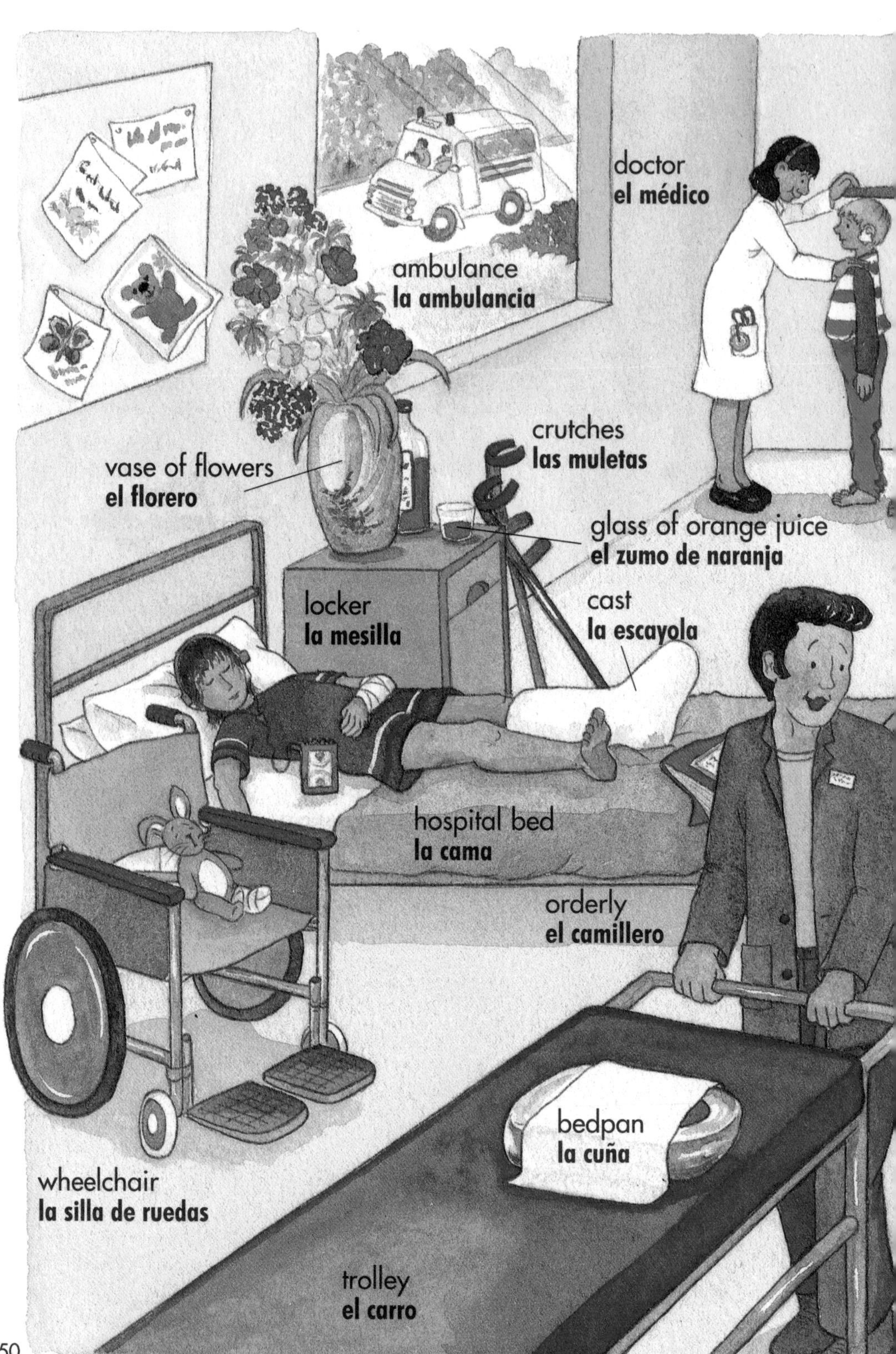

doctor
el médico
ambulance
la ambulancia
crutches
las muletas
vase of flowers
el florero
glass of orange juice
el zumo de naranja
locker
la mesilla
cast
la escayola
hospital bed
la cama
orderly
el camillero
bedpan
la cuña
wheelchair
la silla de ruedas
trolley
el carro

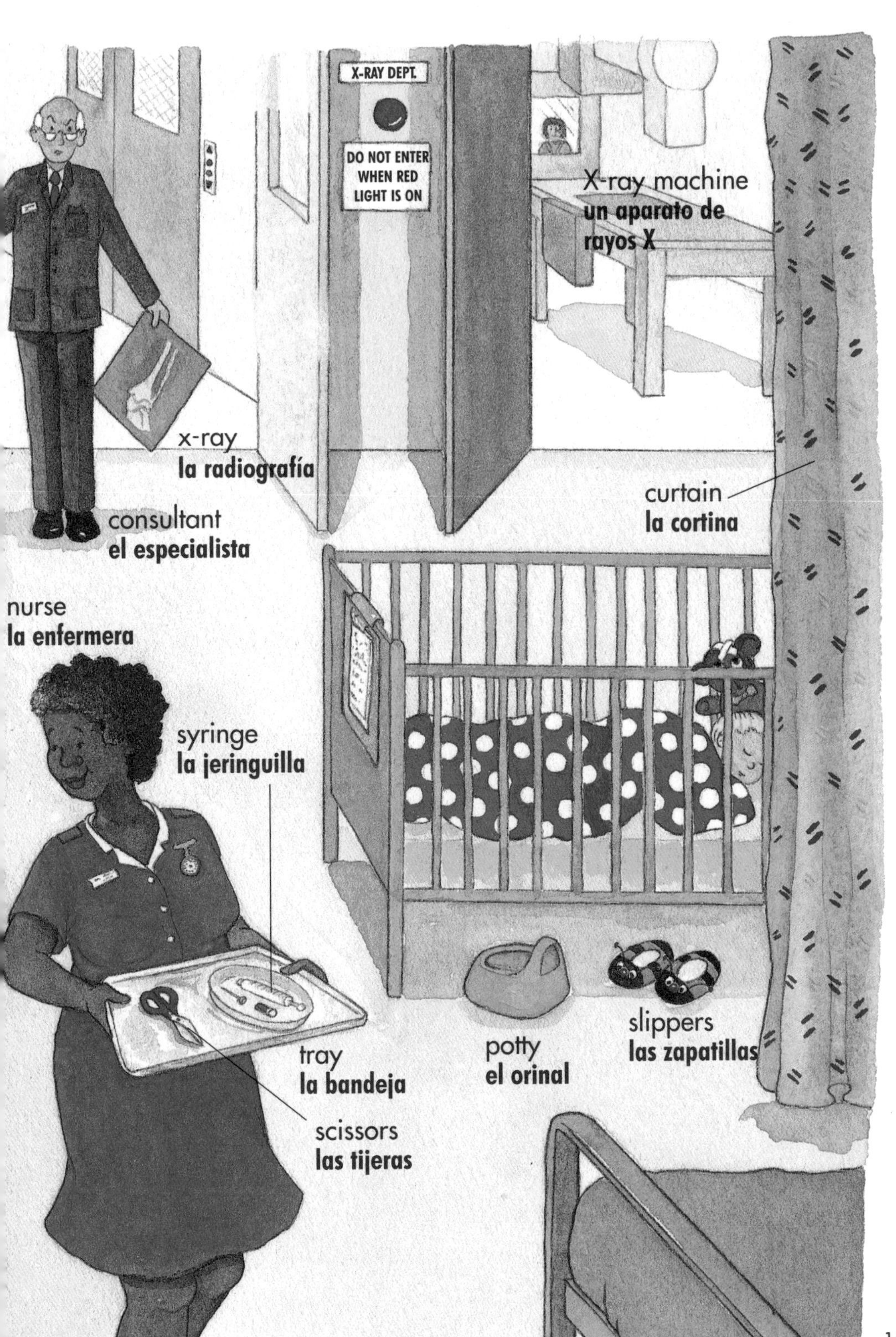
X-RAY DEPT.
DO NOT ENTER WHEN RED LIGHT IS ON
X-ray machine
un aparato de rayos X
x-ray
la radiografía
consultant
el especialista
curtain
la cortina
nurse
la enfermera
syringe
la jeringuilla
tray
la bandeja
scissors
las tijeras
potty
el orinal
slippers
las zapatillas

games and pastimes

chess
el ajedrez
computer game
los juegos de ordenador
walking
pasear
listening to music
escuchar música
dancing
bailar
leapfrog
la pídola
playing cards
jugar a las cartas
gardening
la jardinería
making music
tocar música

canoeing
el piragüismo

American football
el fútbol americano

diving
los saltos de trampolín

tennis
el tenis

showjumping
los saltos de competición

basketball
el baloncesto

skating
el patinaje

rugby
el rugby

cycling
el ciclismo

los deportes

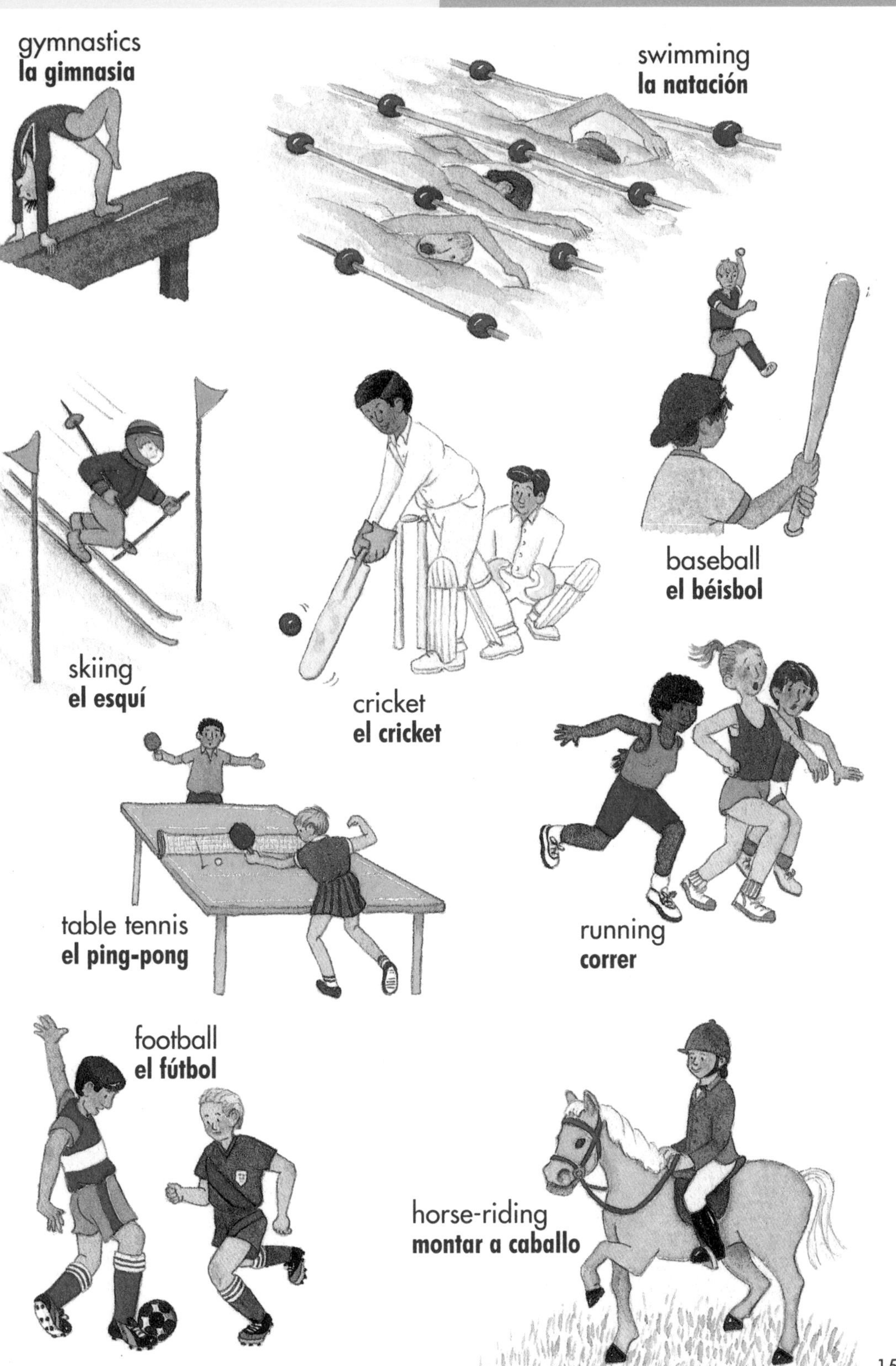

on the farm

sheep
la oveja

lamb
el cordero

calf
el terner

cow
la vaca

ducklings
los patitos

duck
el pato

milk containers
las lecheras

orchard
el huerto

cockerel
el gallo

hay
el heno

turkey
el pavo

goslings
los gansitos

goose
el ganso

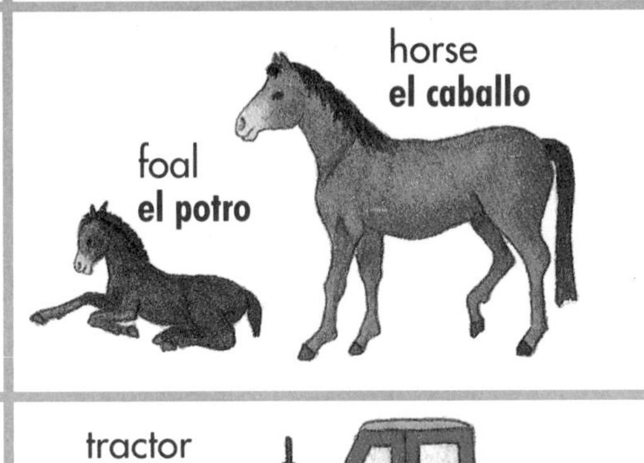

horse
el caballo

foal
el potro

bull
el toro

tractor
el tractor

goat
la cabra

kid
el cabrito

pig
el cerdo

piglet
el lechón

hen
la gallina

chicks
los polluelos

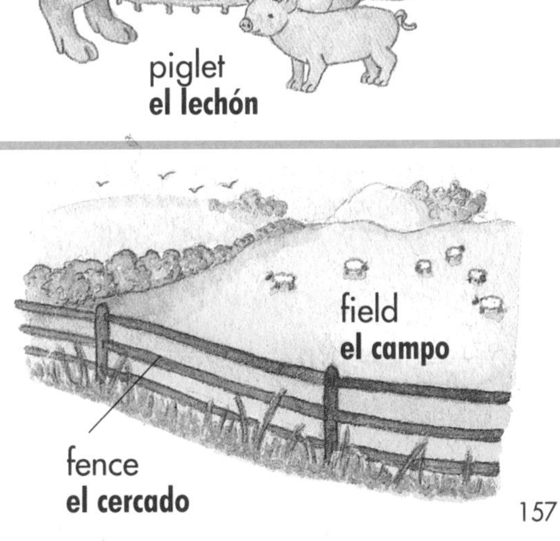

field
el campo

fence
el cercado

at school

lunch-box/snack
la merienda

pupils
los alumnos

globe
el globo

pot of paste
el cubo de engrudo

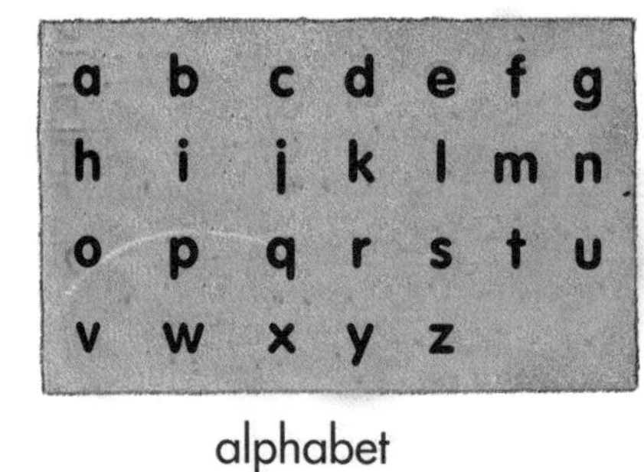

alphabet
el abecedario

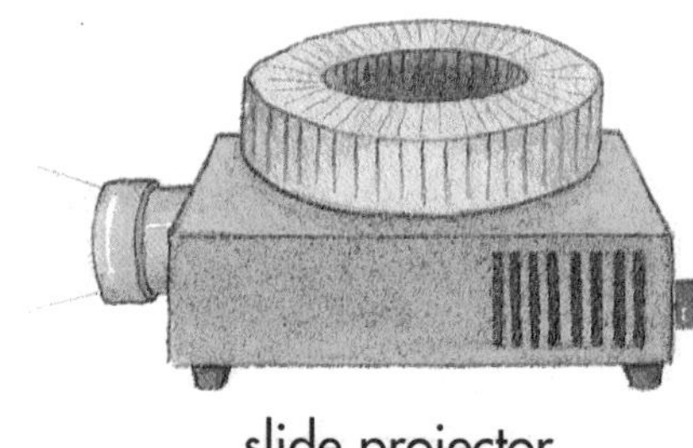

slide projector
el proyector

en la escuela

wall chart
el póster

teacher
la profesora

blackboard
la pizarra

easel
el caballete

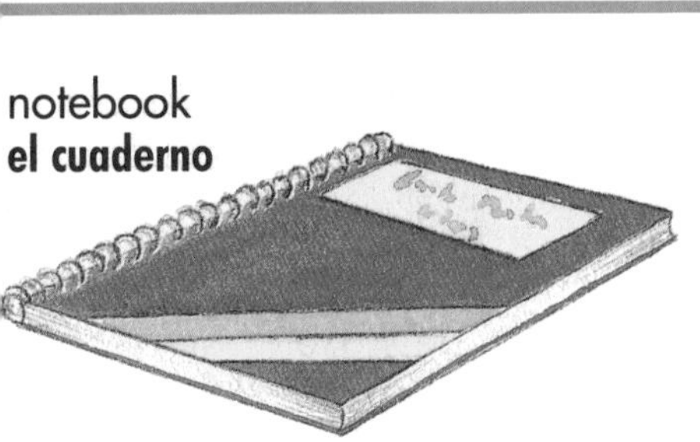

notebook
el cuaderno

school bag
la cartera

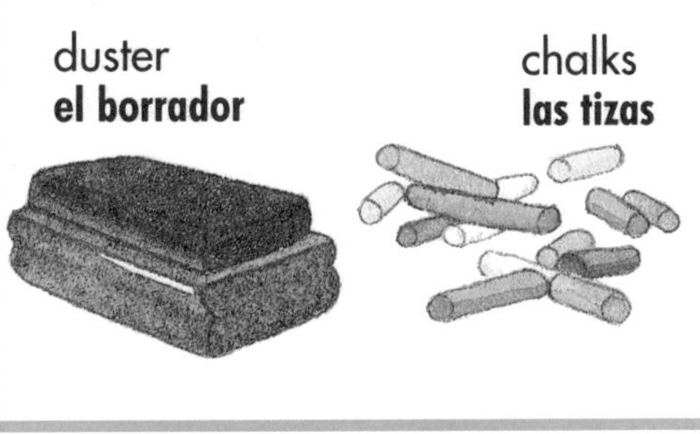

duster
el borrador

chalks
las tizas

drawing
el dibujo

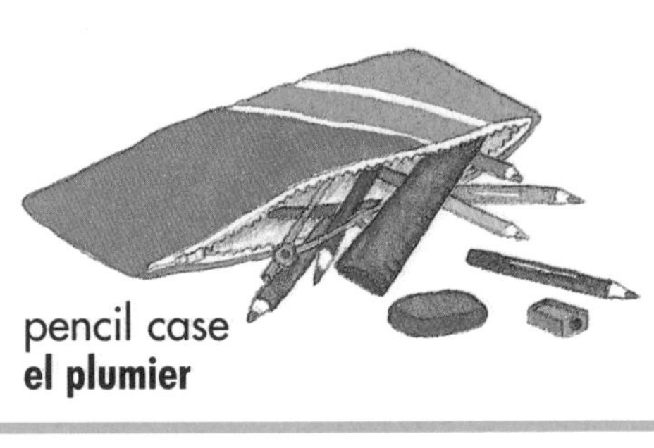

pencil case
el plumier

modelling clay
la arcilla

writing
la escritura

going places: by train

viajando en tren

ket office
venta de billetes

dining car / **el coche restaurante**

porter
el maletero

luggage
el equipaje

tunnel
el túnel

underground railway **el metro**

monorail
el monorraíl

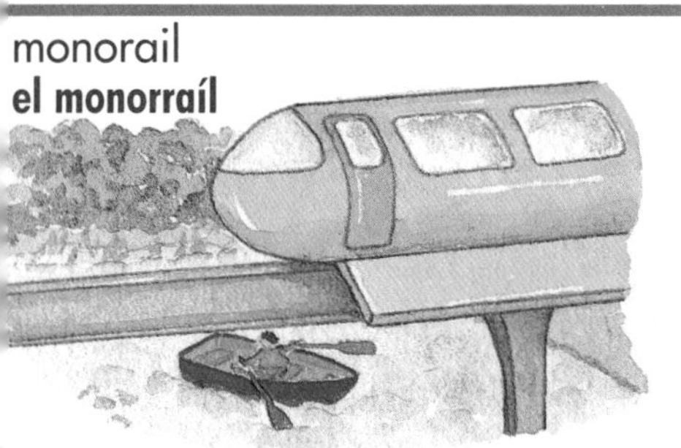

signal box
la garita de señales

smoke
el humo

steam engine **la máquina de vapor**

going places: by water

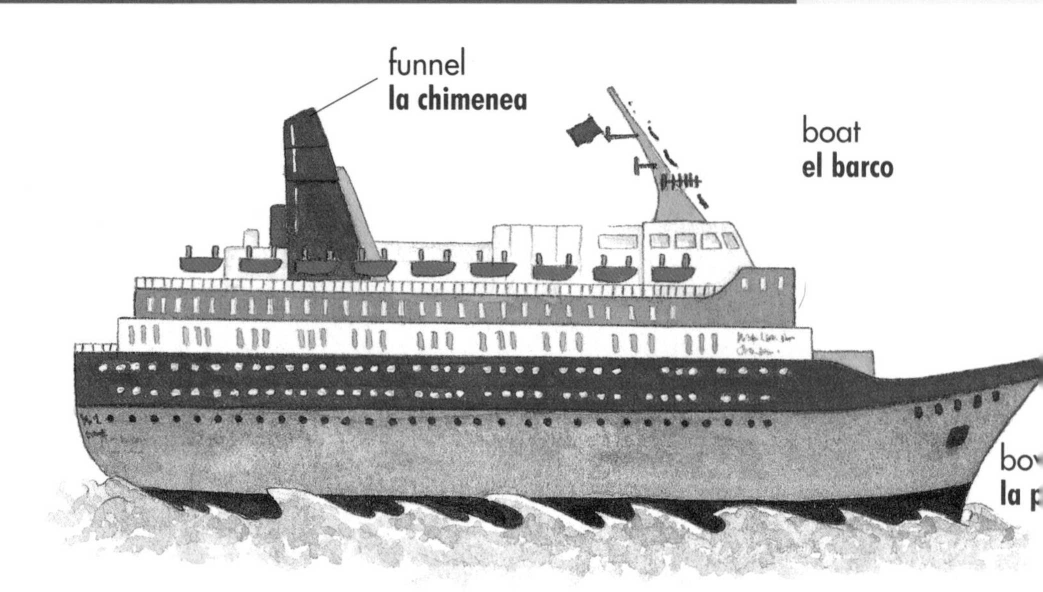

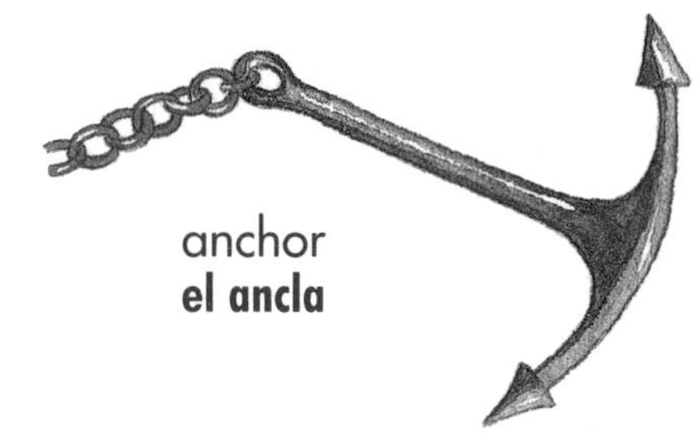

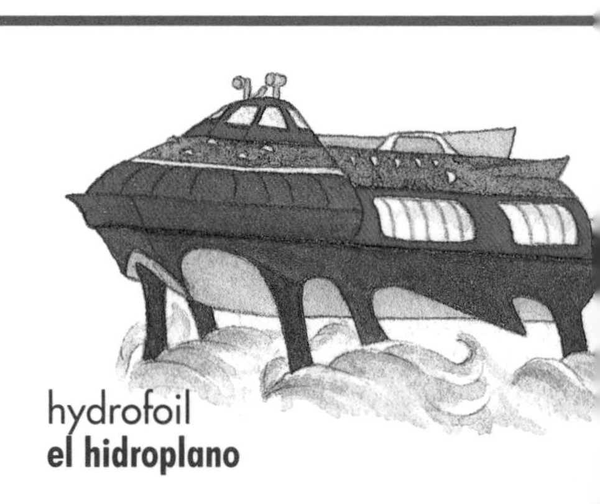

viajando en barco

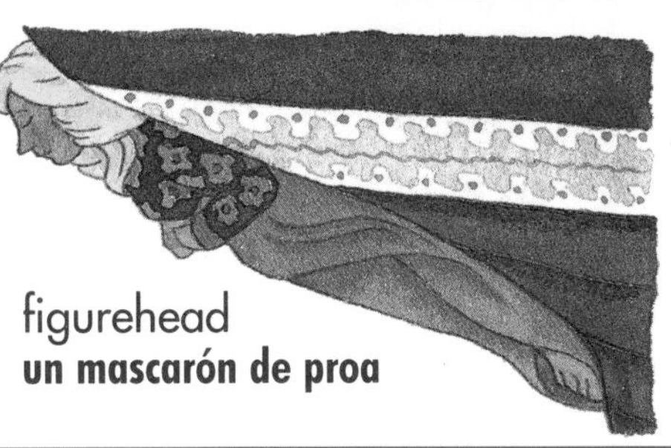

figurehead
un mascarón de proa

rowing boat
el bote de remos

oar
el remo

barge
la gabarra

hovercraft
el aerodeslizador

paddle-steamer
un barco de vapor

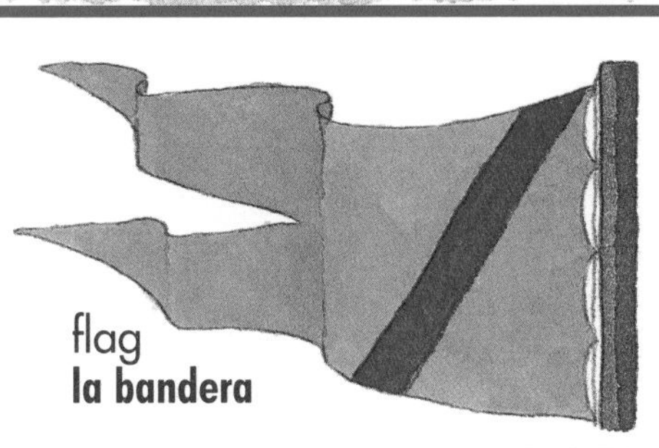

flag
la bandera

speedboat
una lancha rápida

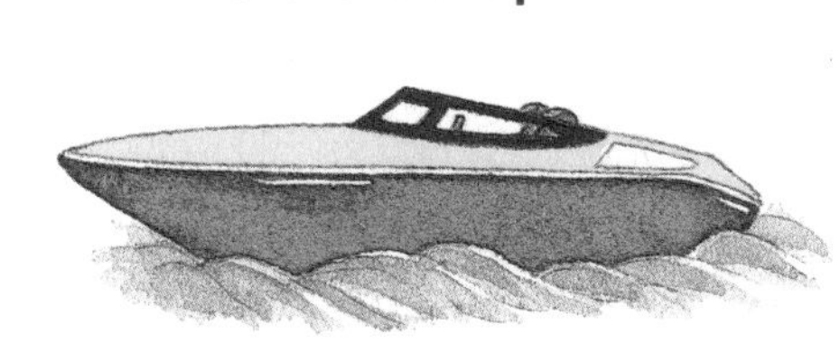

ferry-boat
el transbordador

houseboat
una casa flotante

sails
las velas

going places: by plane

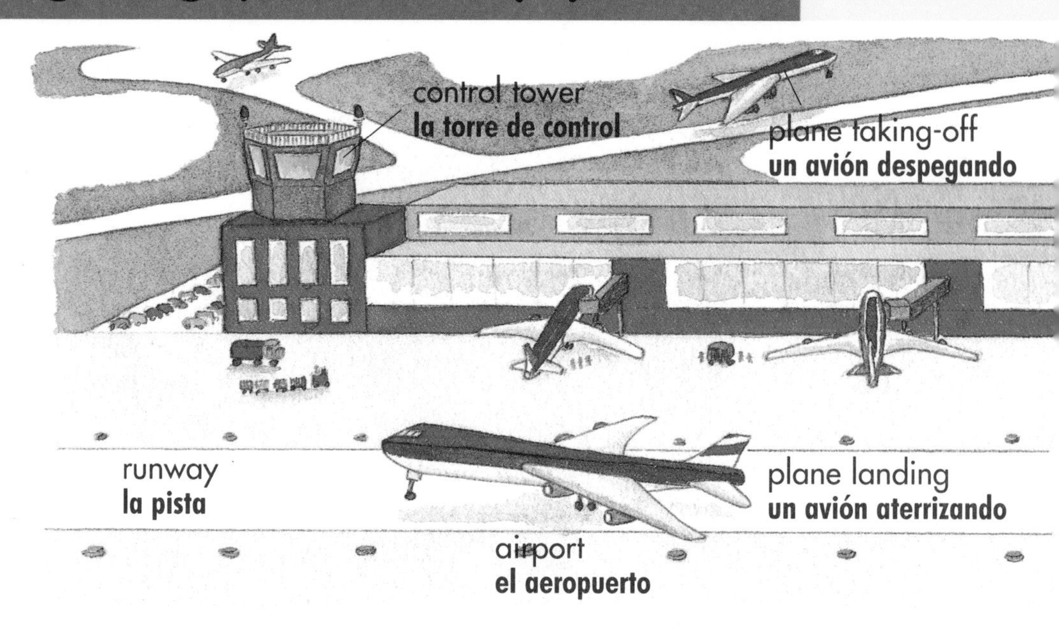

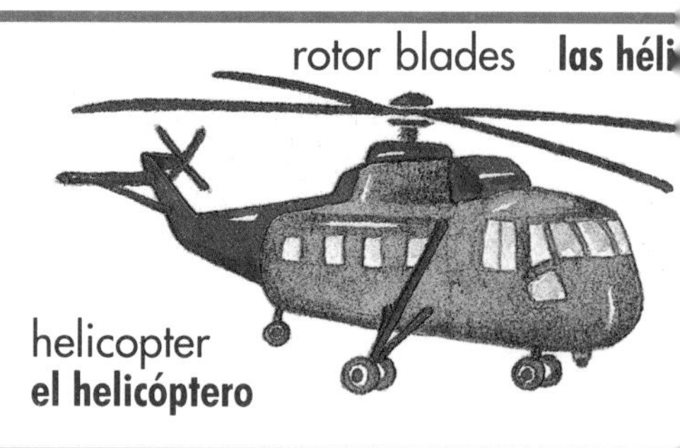

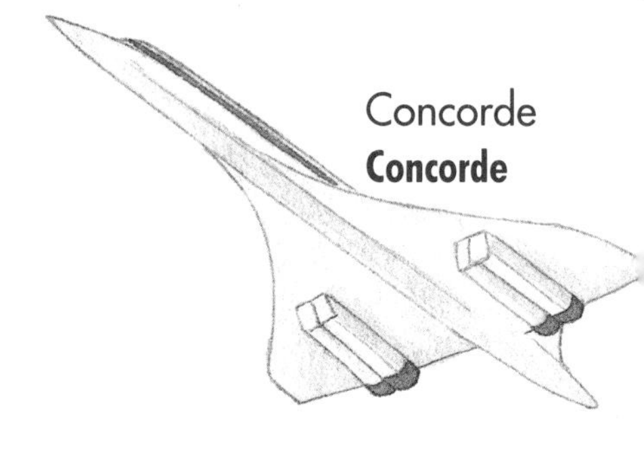

viajando en avión

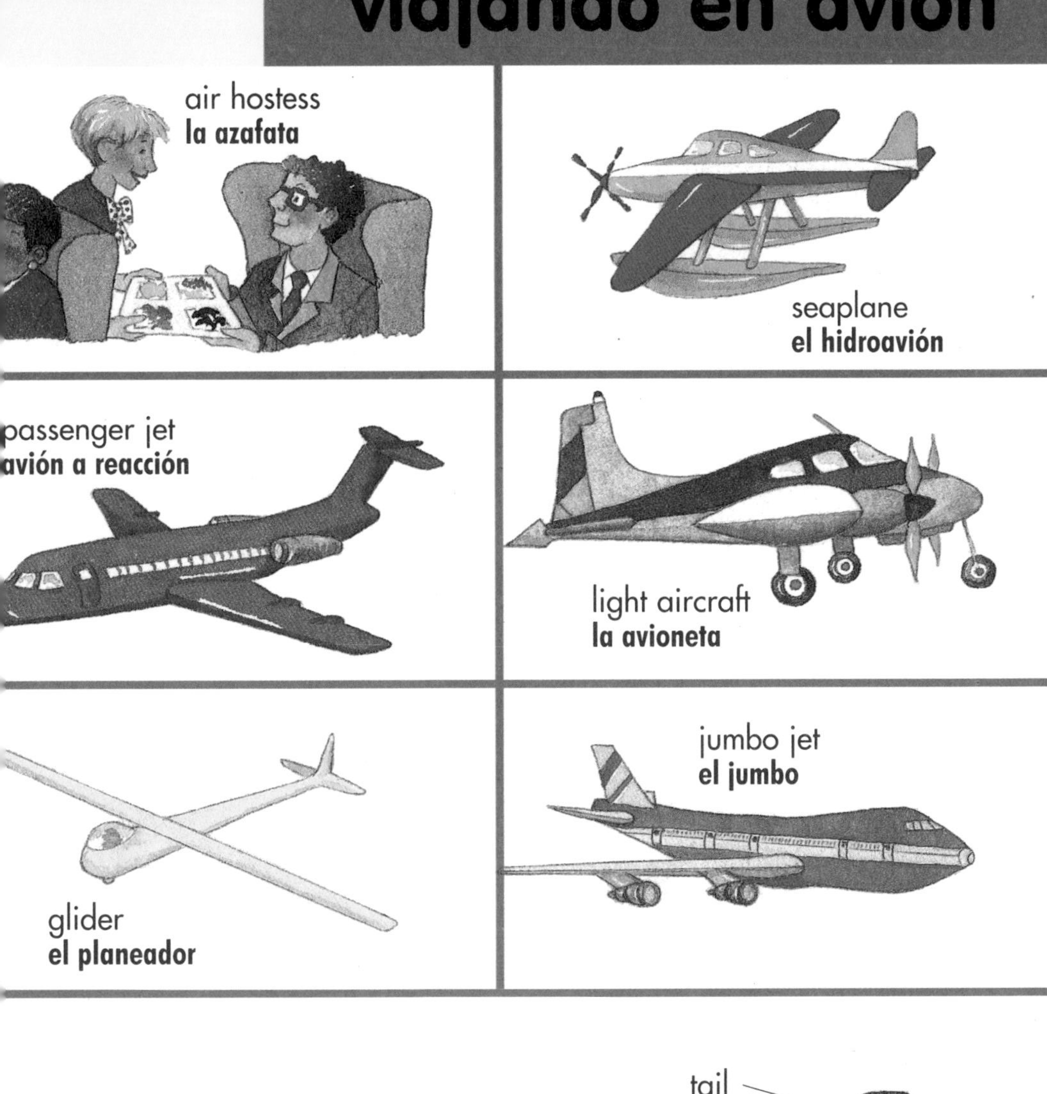

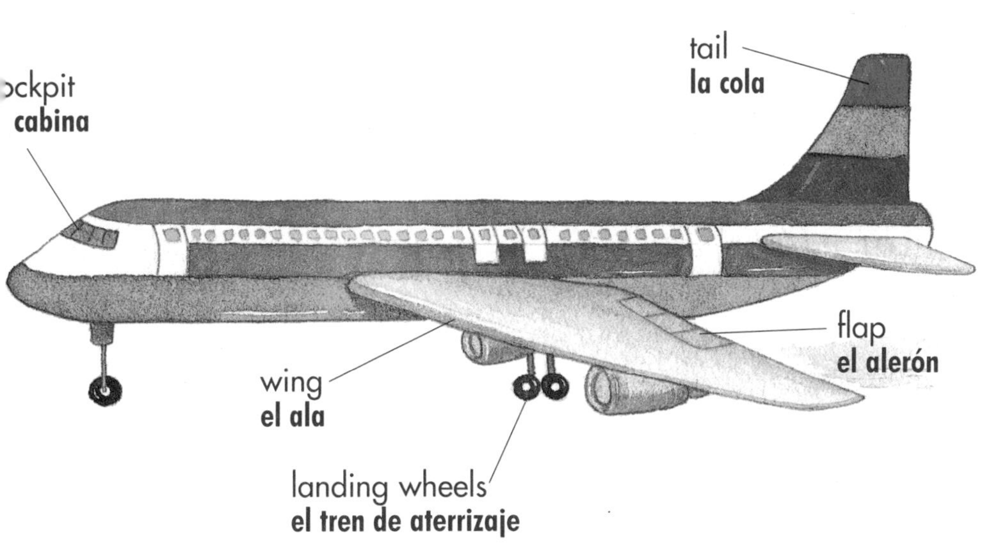

in the country

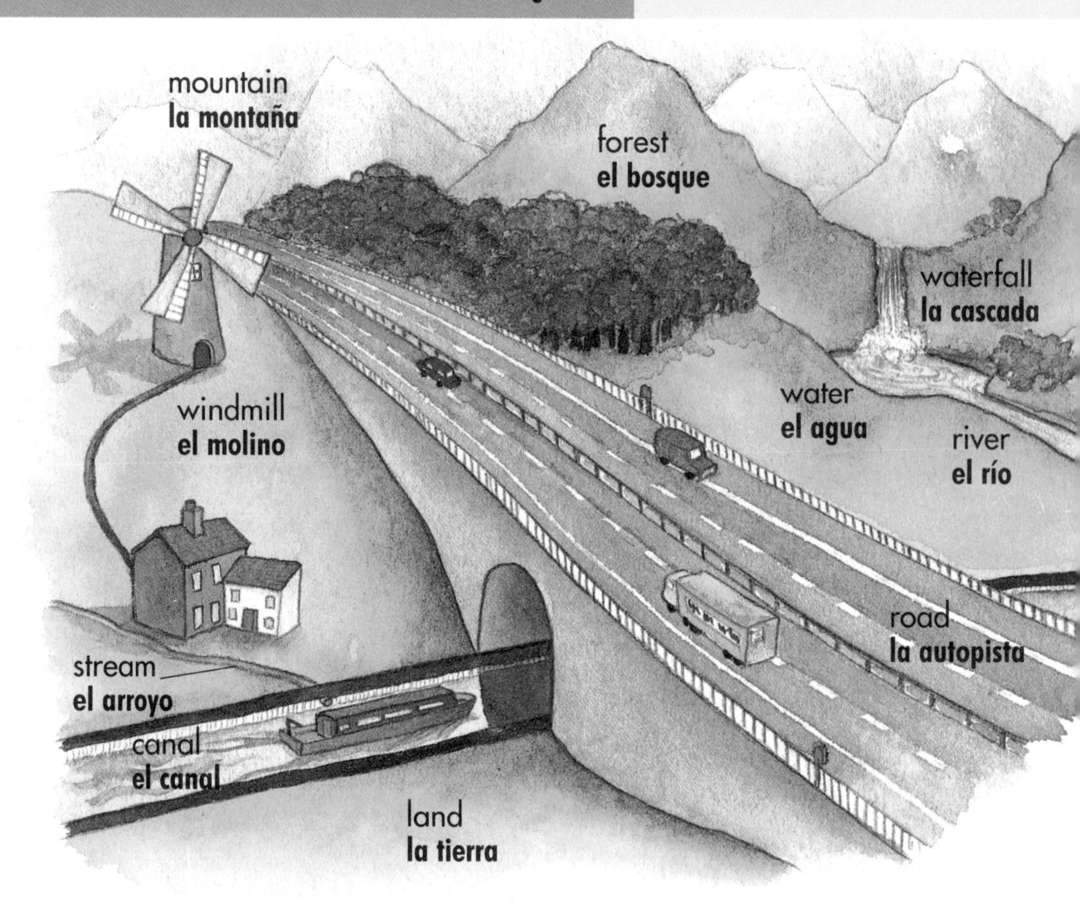

rocks
las rocas

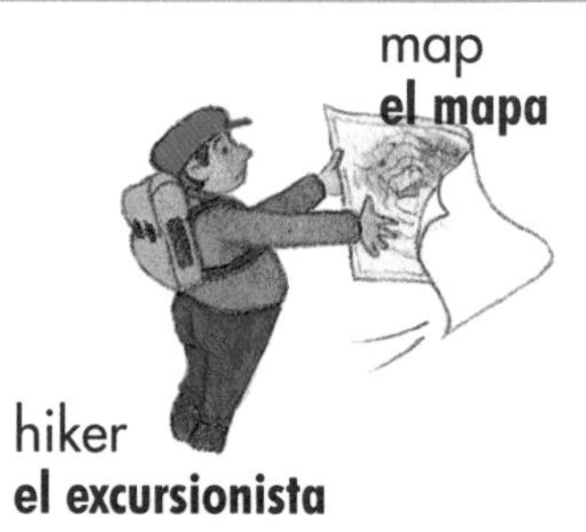

hiker
el excursionista

caravan
la caravana

en el campo

fishing rod
la caña de pescar

shing net
na red de pescar

fisherman
el pescador

trees
los árboles

scarecrow
el espantapájaros

wild flowers
las flores silvestres

stream
el arroyo

village
la aldea

town
el pueblo

city
la ciudad

builders and buildings

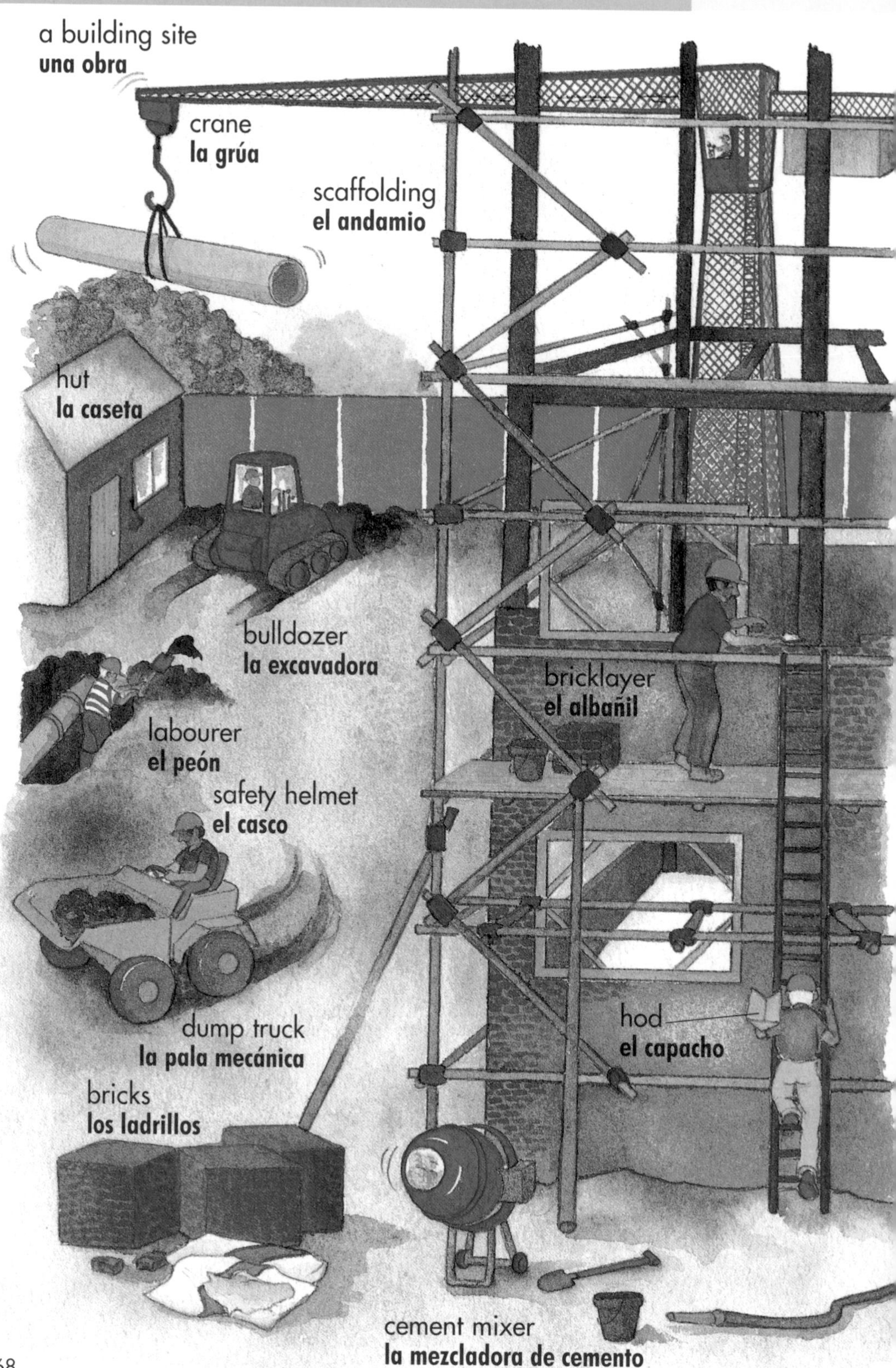

ire station
a estación de bomberos

terraced houses
una manzana de casas

cottage
el chalet

mosque **la mezquita**

car park
el aparcamiento

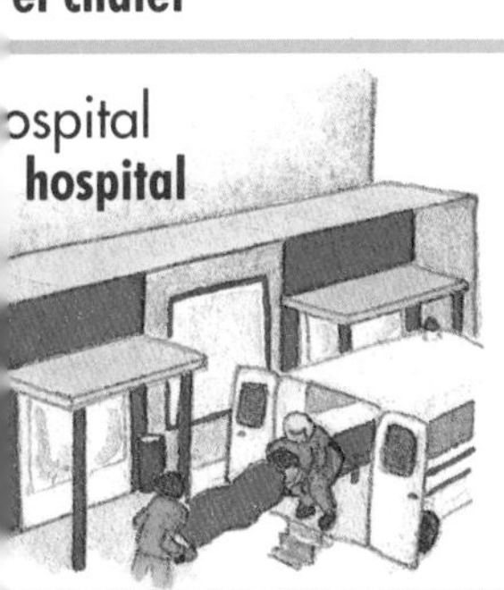

ospital
hospital

art gallery
una galería de arte

hangar
el hangar

castle **el castillo**

boathouse **el cobertizo para barcas**

museum
el museo

tower
la torre

winter
el invierno

spring
la primavera

lightning
el relámpago

sunshine
el sol

summer
el verano

autumn
el otoño

rainbow
el arco iris

rain **la lluvi**

storm
la tormenta

hail
el granizo

ice
el hielo

snow
la nieve

los animalitos pequeños

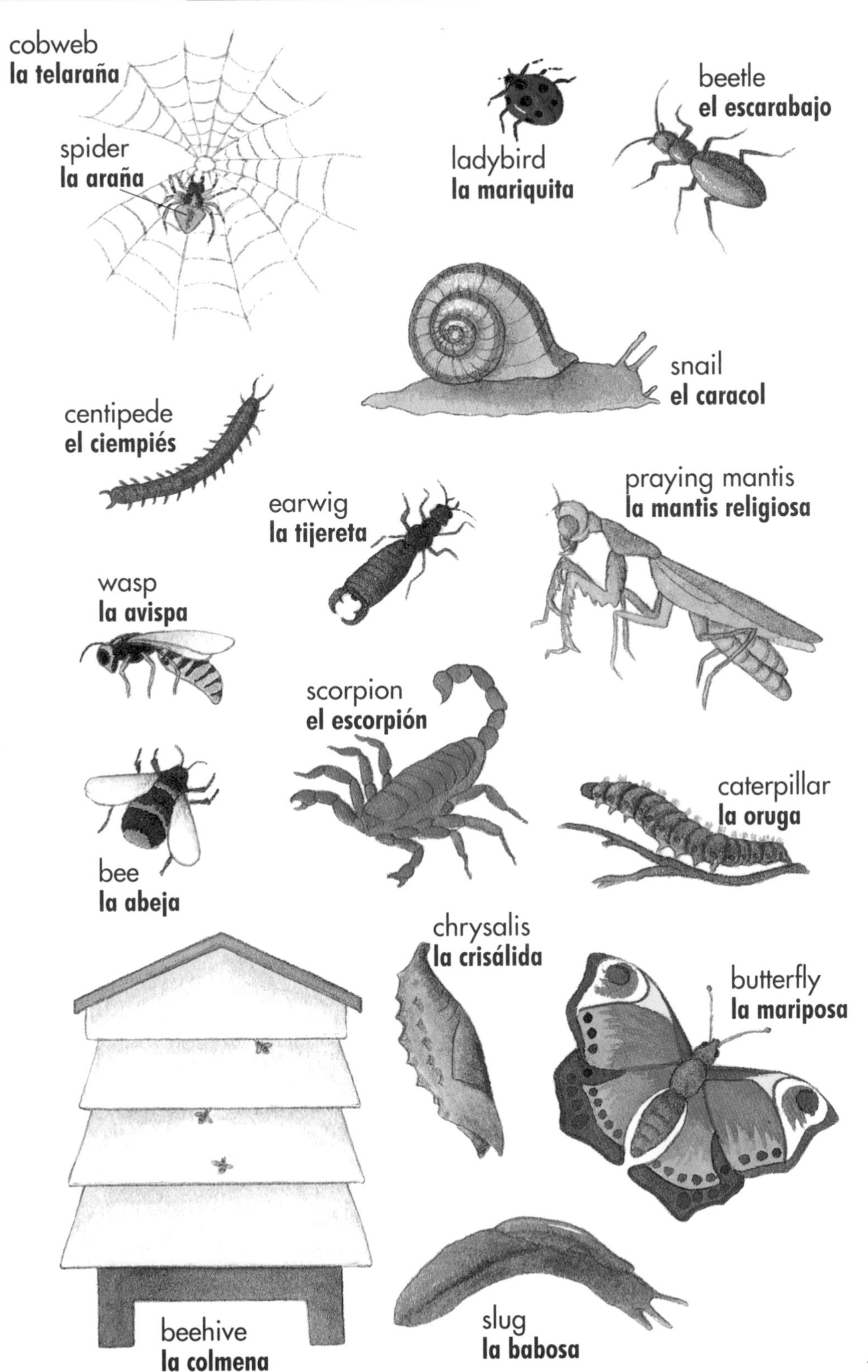

wild animals

los animales salvajes

more wild animals

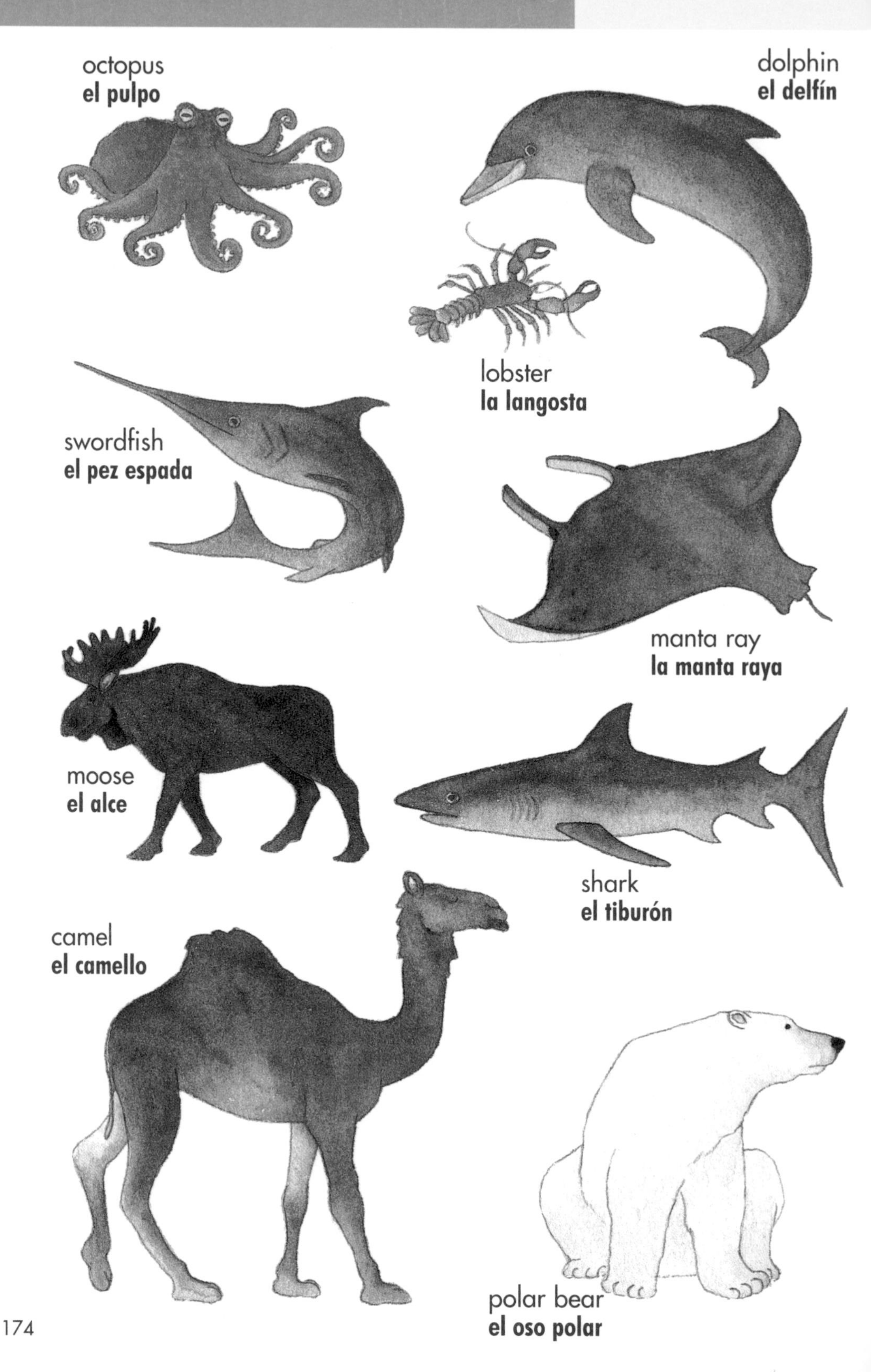

otros animales salvajes

animal words la anatomía anim

las plantas

plants

arts of a flower
s partes de una flor

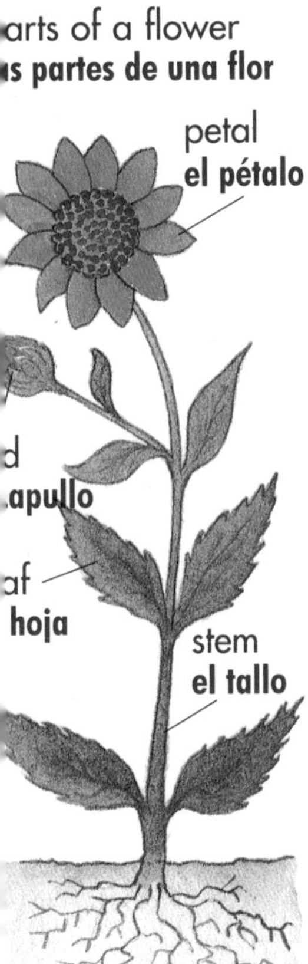

holly
el acebo

bulb
el bulbo

cactus
los cactus

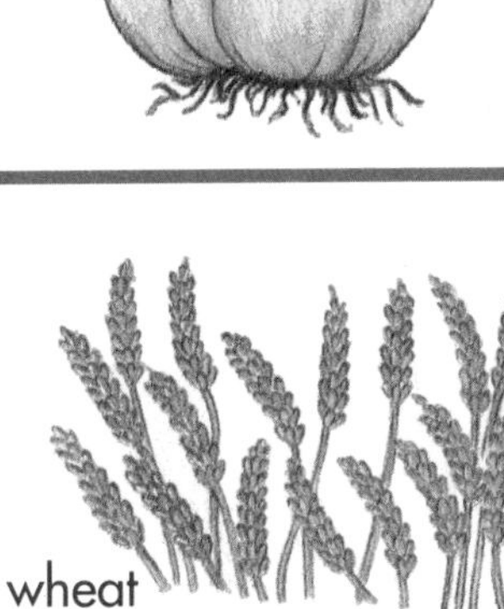
wheat
el trigo

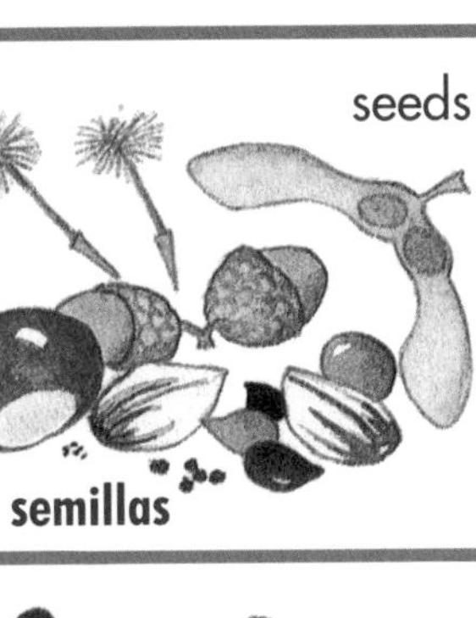
seeds
las semillas

indoor plant
una planta casera

hoots
os retoños

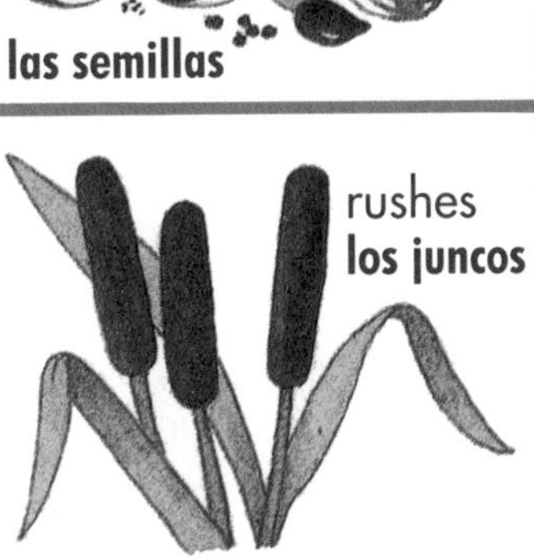
rushes
los juncos

bramble
la zarza

bush
el arbusto

creeper
la enredadera

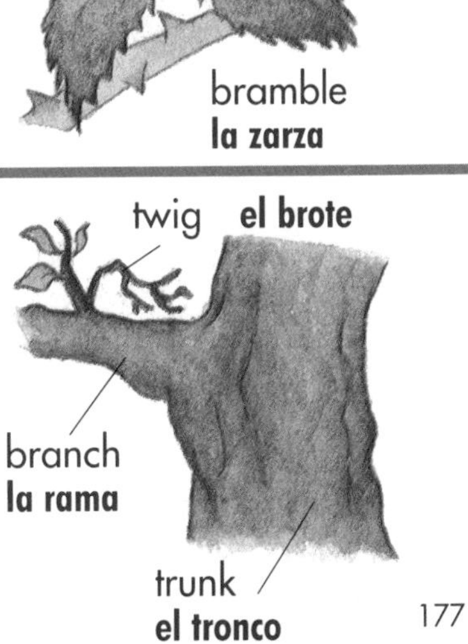

beside the sea

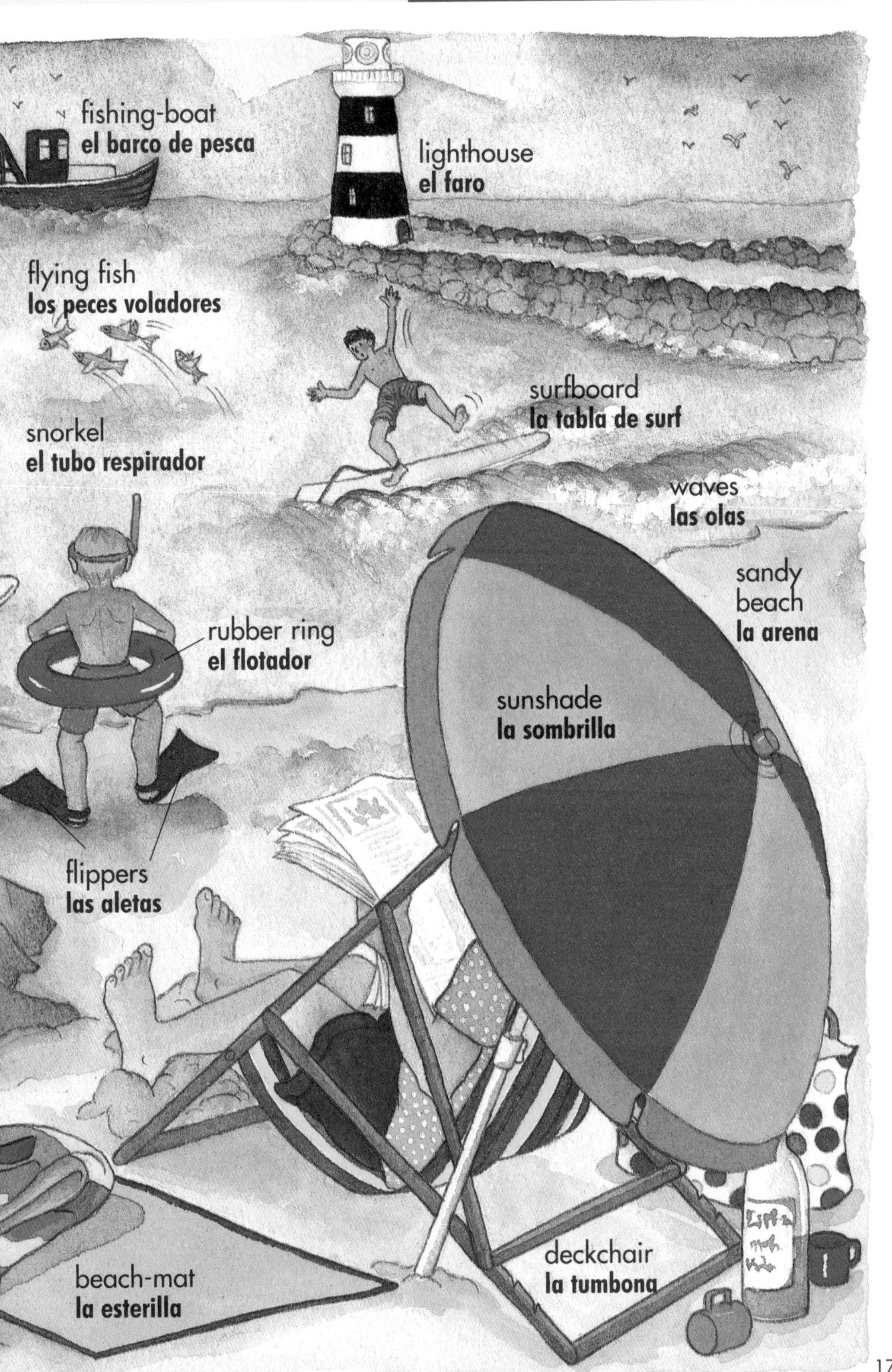
fishing-boat
el barco de pesca
lighthouse
el faro
flying fish
los peces voladores
surfboard
la tabla de surf
snorkel
el tubo respirador
waves
las olas
sandy beach
la arena
rubber ring
el flotador
sunshade
la sombrilla
flippers
las aletas
deckchair
la tumbona
beach-mat
la esterilla

having a party

sparklers
las bengalas
magician
el mago
party invitation
la invitación
Please come to my fancy dress party
hostess
la anfitriona
guest
el invitado
presents
los regalos
ribbon
el lazo
fancy dress costumes
los disfraces

opposites

over
sobre
under
debajo
in
dentro
out
fuera
up/go up
arriba/subir
down/go down
abajo/bajar
happy
feliz
sad
triste
high
alto
low
bajo
wet
mojado
dry
seco

fast
rápido
slow
lento
fat
gordo
thin
delgado
big
grande
small
pequeño
above
encima
below
debajo
behind
detrás
in front
delante

pirate
el pirata
witch
la bruja
ghost
el fantasma
dwarf
el enano
fairy
el hada
dragon
el dragón
giant
el gigante
wizard
el hechicero
mermaid
la sirena
dinosaur
el dinosaurio

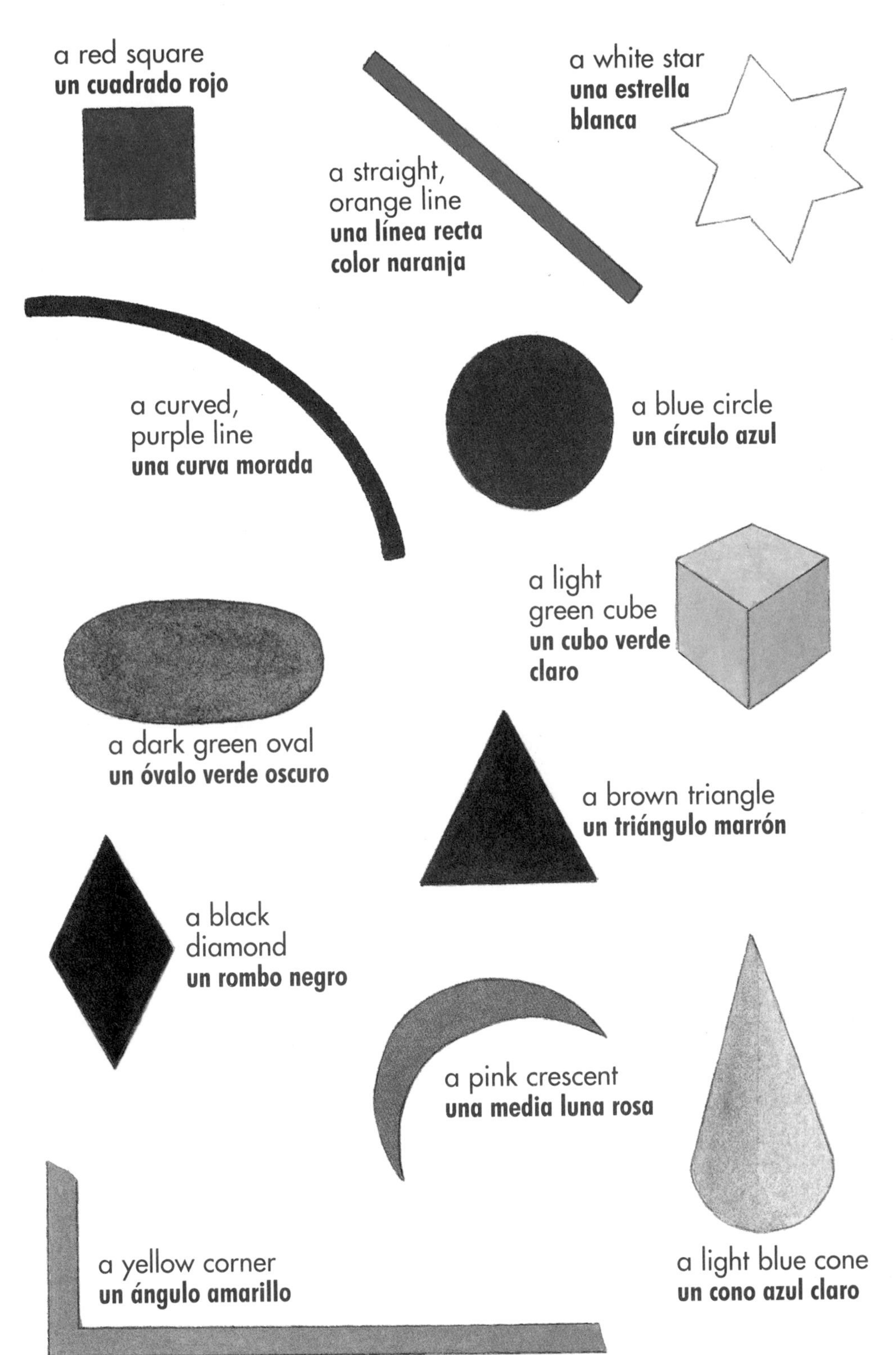
a red square
un cuadrado rojo
a straight, orange line
una línea recta color naranja
a white star
una estrella blanca
a curved, purple line
una curva morada
a blue circle
un círculo azul
a light green cube
un cubo verde claro
a dark green oval
un óvalo verde oscuro
a brown triangle
un triángulo marrón
a black diamond
un rombo negro
a pink crescent
una media luna rosa
a yellow corner
un ángulo amarillo
a light blue cone
un cono azul claro

numbers / los números

1 one girl
una niña

2 two boys
dos niños

3 three ponies
tres potros

4 four cows
cuatro vacas

5 five puppies
cinco cachorros

6 six kittens
seis gatos

7 seven lambs
siete ovejas

8 eight pigs
ocho cerdos

9 nine ducks
nueve patos

10 ten mice
diez ratones

Words in this book / las palabras en este libro

ISBN : 0-7097-1652-4
This edition first published 2005 by Brown Watson
The Old Mill, 76 Fleckney Road,
Kibworth Beauchamp,
Leicestershire LE8 0HG, England

Reprinted 2005

Printed in Egypt